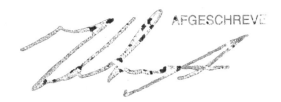

Alek

Alek Wek

Alek

Vertaald door Karien Gommers en Hanneke van Soest

ARENA

Oorspronkelijke titel: *Alek*
© Oorspronkelijke uitgave: 2007 by Alek Wek
© Nederlandse uitgave: Arena Amsterdam, 2007
© Vertaling uit het Engels: Karien Gommers en Hanneke van Soest
Omslagontwerp: DPS, Amsterdam
Foto omslag: Camera Press / Debra Hurford Brown /
Hollandse Hoogte
Typografie en zetwerk: Mat-Zet BV, Soest
ISBN 978-90-6974-851-1
NUR 302

Voor mijn vader, Athian Wek, en mijn moeder, Akuol,
die mij zoveel liefde hebben gegeven.

Ook voor mijn fantastische broers en zussen:
Athian, Ajok, Wek, Mayen, Adaw, Akuol, Athieng en Deng.

Proloog

Ik was net bezig mijn koffer in te pakken voor mijn vlucht naar Londen, toen mijn chauffeur belde met de mededeling dat hij buiten stond te wachten. Ik graaide haastig in mijn boodschappentas met schoonheidsproducten naar een paar flesjes hydraterende lotions. Cosmeticabedrijven sturen mij wekelijks gratis producten die ik in deze tas verzamel en bewaar voor vrienden, want zelf gebruik ik nauwelijks make-up, behalve voor mijn werk. Ik stopte de flesjes in mijn rugzakje uit de tassenlijn WEK 1933, die ik zelf ontwerp. Het geeft me altijd een vreemd maar tegelijkertijd goed gevoel een tas te dragen met mijn vaders naam en geboortejaar in de koperkleurige ritslipjes gegraveerd. Op een of andere manier voel ik me dan weer thuis, hoewel ik niet precies kan zeggen waar thuis is. Vervolgens stopte ik de tas samen met een spijkerbroek – ook een gratis exemplaar, overgehouden aan een jeansfotoreportage voor de Amerikaanse *Vogue* – een paar T-shirts en een kasjmieren trui in een van mijn grotere tassen en haastte me naar de voordeur terwijl ik gedag riep tegen mijn assistente, die de zaken tijdens mijn afwezigheid zou waarnemen. Buiten hield mijn chauffeur het portier voor me open en even later zoefden we door New York naar het vliegveld.

Voor mijn vlucht dronk ik een kop koffie in de eersteklaslounge. Eenmaal aan boord nam ik nog een paar slokken water en ging toen meteen slapen, want transatlantische vlucht of niet, van een model wordt altijd verwacht dat ze er fris en stralend uitziet – vermoeidheid is uit den boze.

Londen was mijn vierde woonplaats. Ik ben geboren in het stadje Wau, in Zuid-Soedan, vluchtte voor de gevechten aldaar met mijn familie naar een dorpje op het platteland en kwam uiteindelijk terecht in Khartoem, waar ik me als vluchteling voor het eerst weer thuis voelde. Vandaar mijn zwak voor deze stad. Vanaf Heathrow nam ik meteen een taxi naar het kantoor van mijn agent in Chelsea, waar ik om half tien 's ochtends aankwam en een halfuur over boekingen, betalingen en andere zaken sprak, om vervolgens per auto door te reizen naar een fotoshoot met een fotograaf. Garderobekamer in, kapsel, make-up, en toen voor acht uur de set op, waar ik me te midden van luide muziek en gestreste stylisten in de ongemakkelijkste houdingen moest wringen.

Terwijl mijn taxi door het Londense verkeer kroop, had ik een leuk gesprek met de chauffeur, een onvervalste Cockney. Het klinkt misschien gek, maar in Amerika wordt mijn Britse accent automatisch minder en gebruik ik meer amerikanismen, zoals Brooklynse hiphopuitdrukkingen. Zodra ik echter voorbij de Britse douane ben keert mijn Britse accent met oost-Londense klanken terug. Heerlijk vind ik dat. Per slot van rekening heb ik in de straten van Hackney Engels geleerd.

Toen ik na de fotoshoot terugkwam op mijn hotelkamer, bestelde ik een pot thee en plofte neer op mijn bed. Ik voelde me moe en eenzaam – zoals altijd wanneer ik een jetlag heb – en overwoog meteen te gaan slapen. Maar ik kreeg een beter idee. Ik kleedde me om en nam een taxi naar het huis van mijn moeder.

Onderweg kwam ik langs de kapsalon waar ik als tiener had gewerkt. De Arabische klanten daar fluisterden altijd tegen elkaar dat ik te mager, donker en dom was, zonder te beseffen dat ik Arabisch kende, omdat het de voertaal was op de scholen die ik in Soedan bezocht. Ik deed altijd net alsof ik hun opmerkingen niet begreep. Ik had het baantje hard nodig.

Mijn moeder begroette me zoals altijd met een stralende glimlach en zette me gelijk achter het avondeten. Twee van mijn broers en een zus waren er ook en ik ging gelijk over in Dinka, de taal van ons volk. Mijn andere vijf broers en zussen woonden elders in Londen, maar een paar ook in Canada en Soedan, verspreid over de wereld dus. Het komt bijna nooit meer voor dat we met alle negen broers en zussen bij elkaar zijn, maar ik voelde me meteen thuis en was blij dat ik was gegaan. Mijn moeder zette me een bord stoofschotel van gedroogde okra voor en *kissra*, een soort brood dat we altijd eten en dat beter smaakt dan welk viersterrengerecht ook.

Mijn ochtendvlucht naar Duitsland werd geannuleerd en ik kwam te laat voor de passessies voor de catwalkshow die ik die middag moest lopen. Gelukkig ging alles goed. Na de show haastte ik me naar mijn hotel om me te douchen en om te kleden voor een feest waar ik die avond werd verwacht. Tegen tien uur was ik doodop, en ik sliep zodra ik mijn kussen raakte.

De volgende ochtend vloog ik naar Milaan. In verband met de Fashion Week wemelde het in de stad van de modellen, visagisten, stylisten, journalisten en hun gevolg. Er hing een geweldige sfeer. Ik moest in een paar dagen acht shows lopen. Achter de schermen staken journalisten me om de haverklap een microfoon onder mijn neus en stelden vragen als hoe het is om zwart te zijn, Afrikaan te zijn, een zwarte Afrikaan te zijn. Ik voelde me een aap in een dierentuin. Terug in het hotel zette ik de televisie aan. Hij stond op Fashion Channel. Daar had je Alek Wek, die werd geïnterviewd tijdens een vorige Fashion Week. 'Wauw, best gaaf eigenlijk,' zei ze. Ik viel in slaap, maar sliep onrustig.

Midden in de nacht schrok ik wakker van het geluid van geweerschoten. Ik sprong uit bed en griste mijn kleren bij elkaar. De milities waren buiten. Ik was doodsbang.

Toen viel mijn oog op het licht dat onder de hotelkamerdeur door scheen. Ik besefte waar ik was: in een luxueus hotel in Milaan. Weer hoorde ik 'geweerschoten', die afkomstig bleken te zijn van een vuilniswagen die onder mijn hotelraam afval ophaalde. Ik was niet in Soedan. Er was geen gevaar.

Een paar dagen later vloog ik terug naar New York. In de hal van mijn huis bleef ik staan voor een olieverfschilderij van een paar sandalen tegen een grijze achtergrond. De sandalen leken op leren teenslippers. Ik had ze een paar maanden daarvoor geschilderd, denkend aan Wau. De schoenen hadden dezelfde vorm als de dunne rubberen teenslippers die ik als kind droeg en waarmee ik door het scherpe gras rende, op de vlucht voor gewapende mannen. Na al die jaren van angst en vluchten, symboliseerden deze sandalen voor mij kracht en veiligheid. Als kind had ik altijd naar leren sandalen verlangd. En nu, op dit schilderij, had ik ze.

1

Ik ben als zevende van negen kinderen geboren in mijn moeders
eenvoudige touwbed in een stenen huisje in het stadje Wau.
Mijn ouders noemden me Alek, naar een van mijn dierbare oud-
tantes. Alek betekent zwartgevlekte koe, een van de meest voorko-
mende en geliefdste koeiensoorten in Soedan. Het is ook het symbool van geluk voor de Dinka, mijn volk. Mijn lange gestalte – ik
ben bijna een meter tachtig – heb ik van mijn vader geërfd, en
mijn glimlach van mijn moeder. Aan beiden heb ik mijn inkt-
zwarte huid te danken.

Als er bij de Dinka een kind wordt geboren, viert de familie
feest. Bij mijn geboorte stroomden dankzij de tamtam vanuit alle
windstreken familie en vrienden toe. Waar ik vandaan kom, waren in die tijd erg weinig telefoons. Mijn vader had iemand op de
markt over mijn geboorte verteld en die vrouw vertelde dat weer
aan een man die verderop in de straat rijst moest afleveren. En híj
vertelde het weer aan iemand die met een kudde vee naar de zuidelijk gelegen dorpen trok. Spoedig had het nieuws van mijn geboorte zich in de verre omtrek verspreid. Enkele familieleden reis-

den uren achter in vrachtwagens of liepen kilometers door onherbergzaam landschap om naar ons huis toe te komen.

De vrouwen kwamen bijeen om oliën en parfums te maken van kruiden en boomschors, zoals sandelhout, die ze dagenlang lieten weken en op een speciale manier, die alleen de ouderen kenden, mengden. Uit mijn moeders verhalen weet ik dat het huis gevuld was met vrouwen in traditionele gewaden en dat alles heerlijk rook. Twee dagen lang zorgden deze vrouwen voor mijn moeder en mij. Ze gaven haar een speciale pap en kippensoep en depten haar voorhoofd met vochtige doeken. Ze hoefde niets anders te doen dan achterover te liggen en verzorgd te worden, speciale baden te nemen en te genieten van de sensuele geuren en oliën. Vervolgens brachten de mannen een zwarte geit binnen die volgens onze tradities geofferd moest worden. Iedereen at lekkere gierstkoekjes en andere zoetigheid, zeldzame traktaties in mijn familie. Zoals het gebruik voorschreef bleef mijn moeder na mijn geboorte gedurende veertig dagen en nachten in huis.

In mijn land heerste sinds lange tijd een periode van vrede, en ik werd op een zeer speciale wijze welkom geheten in de wereld. Een Dinka-welkom.

Mijn volk heeft duizenden jaren in het zuiden van Soedan gewoond. We zijn verwant aan twee gracieuze Oost-Afrikaanse stammen, de Neur en de Masai. Tezamen vormen zij de Nijlvolkeren, die bekendstaan om hun donkere huid en hun lange, slanke gestalten. In totaal zijn er zo'n twintig Dinkastammen. Elke stam bestaat uit meerdere kleinere groepen en hun dorpen liggen verspreid over een uitgestrekt gebied. Mijn familie is afkomstig uit de streek Bahr el Ghazal, in het zuidwesten van het land. Bahr el Ghazal is ook de naam van een plaatselijke rivier die zich door de moerassen en ijzersteenplateaus kronkelt en bij een meer, dat simpelweg No heet, uitmondt in de Witte Nijl. De Witte Nijl stroomt verder totdat hij bij Khartoem samenkomt met de Blauwe Nijl, om vandaaruit naar Egypte te stromen als de rivier die wij kennen als de Nijl.

Uit de verhalen van mijn ouders en grootouders heb ik begrepen dat Soedan altijd een gewelddadig land is geweest. In de achttiende en negentiende eeuw trokken slavenhandelaars door het land, waar ze Dinka ronselden en meenamen naar het noorden om ze in de Arabische landen te verkopen. Zelfs in de eenentwintigste eeuw schijnen er nog steeds kinderen uit het zuiden als slaven te worden verhandeld.

Het is van belang te weten dat mijn land altijd verdeeld is geweest tussen het islamitische, Arabische noorden en het animistische en christelijke zuiden. En die twee culturen kunnen nu eenmaal niet goed met elkaar overweg. Het noorden heeft zelfs voortdurend geprobeerd het zuiden te overheersen. De Britten, die vanaf het einde van de negentiende eeuw tot 1950 in Soedan heersten, hadden een afzonderlijk bestuur voor het noorden en het zuiden. In de jaren veertig echter, vlak voor de onafhankelijkheid, bezweken de Britten onder druk van de islamitische leiders in het noorden en werden de twee helften samengevoegd. Sindsdien werd door de noordelijke regering de islamitische cultuur opgelegd aan de bevolking in het zuiden, van wie het merendeel islamitisch noch Arabisch was. Uiteraard draaide het ook om geld. Het zuiden van Soedan is niet alleen rijk aan water en vruchtbaar land, maar ook aan uitgestrekte olievelden.

Het zuiden is echter altijd fel gekant geweest tegen overheersing door de moslims in het noorden, en in 1950 brak er een gewelddadige burgeroorlog uit die tot 1972 duurde. In datzelfde jaar werd door beide partijen het verdrag van Addis Abbeba getekend, waarin de autonomie van Zuid-Soedan werd vastgelegd. Vijf jaar later werd ik geboren.

Omdat de Dinka altijd seminomaden zijn geweest, volstrekt afhankelijk van het weer en overgeleverd aan de politieke omwentelingen om ons heen, zijn ze gewend te leven in de cyclus van oorlogen en opstanden, gevolgd door perioden van vrede en voorspoed, van honger en overvloed. In het regenseizoen wonen de Dinka op het platteland in kegelvormige, rietgedekte hutten. Ze verbouwen gierst en andere gewassen. In het droogteseizoen trekken ze met hun vee naar nederzettingen aan de rivier. Wij Dinka zijn van nature ingesteld op verandering.

De Dinka hebben nooit een centrale regering of iets dergelijks gehad, behalve het bestuur dat ons door de Soedanese leiders werd opgelegd. In plaats daarvan zijn we verdeeld in clans, die zijn gebaseerd op familiaire afkomst. De Dinka zijn zich zeer bewust van de clan waartoe ze behoren. Enkele belangrijkere clans leveren soms leiders die invloed hebben op de hele stam. Maar over het algemeen zijn de clans verdeeld in kleinere groepen en beschikt elke groep over precies zoveel water en weidegrond als nodig is voor hun dierbare vee.

De dieren zijn zo belangrijk voor de Dinka dat mijn ouders, hoewel ze mij ver van hun geboortedorp in het relatief werelds plaatsje Wau hebben grootgebracht, nog steeds vijftien stuks vee in de achtertuin hielden. Zowel mijn vader, Athian Wek, als mijn moeder, Akuol Parek, groeiden op in een rietgedekte hut in een boerendorpje ten zuiden van Wau. Mijn moeder heeft een andere naam, omdat de kinderen in mijn cultuur altijd de naam van de vader krijgen en houden. Toen mijn ouders trouwden, was de burgeroorlog in volle gang en moesten ze vluchten voor het geweld. Ze zwierven door Oost-Afrika, waarbij ze langere perioden in vluchtelingenkampen doorbrachten maar ook in steden en dorpen in Kenia, de Centraal Afrikaanse Republiek en elders. Zo moesten ze leven. Ze moesten als het ware op de vlucht een bestaan opbouwen.

Mijn moeder kreeg haar eerste kinderen in ballingschap. Toen het eindelijk vrede was in Soedan, keerden mijn ouders terug en vestigden zich in Wau, destijds een stad van 70.000 inwoners op ongeveer 480 kilometer van de Oegandese grens. Ze kozen voor Wau omdat het een vrij wereldse stad was vergeleken bij de dorpen waar ze zelf waren opgegroeid. Hoewel ze diep respect hadden voor de Dinkacultuur, had hun leven als vluchteling hun meer van de wereld laten zien dan wanneer ze in hun dorp waren gebleven. Ze wilden een betere toekomst voor hun kinderen en gunden hun de vrijheid om te trouwen met wie ze wilden – de meeste huwelijken in de dorpen waren immers gearrangeerd. Mijn moeder was zelf tegen de zin van haar familie met mijn vader getrouwd, omdat hij uit een familie stamde die niet rijk genoeg werd geacht. Mijn ouders begrepen dat Soedan, en de wereld in het algemeen, zich in een overgangsfase bevond en ze wilden voorkomen dat wij moesten opgroeien onder het juk van de meer restrictieve tribale gebruiken van de Dinka, zoals bijvoorbeeld polygamie en gezichtsverminking, zodat we in de moderne wereld konden gedijen. Het werd dus Wau, waar zich weliswaar een grote Dinkapopulatie bevond die de tribale gewoonten respecteerde, maar waar eveneens goede scholen waren en een gezonde bedrijvigheid heerste.

Oorspronkelijk was Wau in de negentiende eeuw gesticht door slavenhandelaars, maar de stad was uitgegroeid tot een handelscentrum voor katoen, tabak, pinda's, granen, groenten en fruit. Er waren ook een paar kleine werkplaatsen. Ik vond het heerlijk om langs de smederij te lopen. De smid smeedde het ijzer boven het vuur dat in een gat in de grond was gemaakt. Het ijzer, dat werd verhit totdat het roodgloeiend was, werd vervolgens met een hamer bewerkt.

In Wau woonde niet alleen een groot aantal Dinka, maar ook Fertit, Jo-Luo en Arabische moslims uit het noorden. De stad had een zeer diverse populatie en de mensen konden goed met elkaar overweg, althans wanneer ze niet in een oorlog met elkaar verwikkeld waren. Een groot deel van de stad was verwoest tijdens rellen tegen de regering in 1965. Wau werd daarna weer opgebouwd en na het vredesverdrag van 1972 werd er een strategisch belangrijk vliegveld aangelegd. De stad herbergde een bescheiden hotel en een kleine bioscoop. Toen ik in 1977 werd geboren was Wau een aangenaam klein stadje, waar de vrouwen hun etenswaren op de markt kochten en de gieren in de straten aasden op afval.

Het gezin waarin ik opgroeide behoorde tot de middenklasse, die aanzienlijk vertegenwoordigd was in Wau. Het waren veelal dokters, leraren en ambtenaren, wier huizen waren gemaakt van steen en zink. Veel inwoners waren armer dan wij. Zij leefden in huizen met rieten daken. En de volwassenen werkten op het land of deden andersoortig zwaar werk. Er waren slechts weinig mensen die rijker waren dan wij, afgezien van een handjevol eigenaren van fabrieken en bedrijven. Ik heb me altijd heel tevreden gevoeld met wat we hadden, hoewel de meeste mensen in Europa of Amerika ons arm zouden hebben gevonden. We hadden immers geen elektriciteit en geen wc in huis, om nog maar te zwijgen van een stereo, televisie of keukenapparatuur. We hadden genoeg te eten, een degelijk dak boven ons hoofd en eenvoudige kleren. En daar prezen we ons gelukkig mee.

Voor mijn geboorte had Wau over stromend water beschikt, maar helaas had de regering op een zeker moment de waterleiding afgesloten en raakte het systeem in onbruik. Sindsdien zocht iedereen zijn toevlucht tot waterputten. Het leven was zo slecht nog niet. Je moest er gewoon het beste van zien te maken. We beschilderden bijvoorbeeld een oud olievat in onze achtertuin met vrolijke kleuren en vingen er het zoete regenwater in op dat van ons dak af drupte. Dat water smaakte heerlijk.

Mijn vader werkte voor de plaatselijke onderwijsdienst. Elke ochtend verliet hij ons huis gekleed in pak en stropdas en onder zijn arm een leren aktetas, die ik nog steeds heb. Hij zag er goed uit. Hij was een meter vijfennegentig lang, slank en een aantrekkelijke verschijning. Een echte heer. Hij sprak niet veel, maar als hij iets zei draaide hij er nooit omheen. Hij verwachtte van je dat je naar hem luisterde en ik had al vroeg in de gaten dat hij niet met zich liet spotten.

Ik herinner me dat hij me een keer vroeg de veranda te vegen. Ik weigerde. Zonder een woord te zeggen liep hij de tuin in en trok een takje van een struik. Ik moest voor hem komen staan en hij plukte de blaadjes een voor een van de tak af zodat er een goede zweep overbleef. Vervolgens sloeg hij drie keer tegen mijn kuiten en zei dat ik nooit meer ongehoorzaam tegen hem mocht zijn. Ik geloof niet dat ik dat ooit nog heb gedurfd.

Mijn moeder, Akuol, praatte en lachte veel, maar ook zij was behoorlijk streng. Mijn ouders vulden elkaar dus goed aan. Ze kenden elkaar al vanaf hun jeugd en vertrouwden elkaar volkomen. Dinkamannen kunnen nogal eens dominant zijn ten opzichte van hun vrouwen, maar hoewel mijn vader allesbehalve een slappeling was, was hij wél de man in huis. Maar in veel opzichten verschilde hij van andere Dinkamannen. Hij wilde bijvoorbeeld niet polygaam zijn, hoewel hij gemakkelijk voor die mogelijkheid had kunnen kiezen, want het hebben van meerdere vrouwen is een geaccepteerd verschijnsel – het wordt zelfs van een man verwacht – in de Dinkacultuur. En hij overlegde altijd eerst met mijn moeder alvorens hij een belangrijke beslissing nam. Ze vormden een echt team. Behalve als het om geld ging. Op dat vlak was mijn moeder de baas in huis. Als mijn vader zijn loon kreeg, overhandigde hij het geld meteen aan mijn moeder. Zij zorgde ervoor dat de huur werd betaald en het eten gekocht.

Een paar keer per jaar nam ze ons mee naar de markt om kleren te kopen. Soms kregen we iets nieuws, maar vaak kochten we gebruikte kleren van verkopers die ze per baal opkochten en ze vervolgens per stuk in kleinere steden, zoals Wau, doorverkochten. Het betreft hier de kleren die mensen in de rijke landen in de textielcontainers dumpen. Dus wij liepen regelmatig in vreemde T-shirts waarop reclame werd gemaakt voor Manchester United of Jimmy's Rib Joint in Harrison, Kentucky. Het kon ons niets schelen. De kleren waren goedkoop, degelijk en bovendien kenden we amper Engels.

Mijn vader was zo lang dat het moeilijk was om passende kleding voor hem te vinden. Dus mijn moeder koos op de markt een paar stalen stof uit en samen overlegden ze of hij een sportief of net pak wilde, in een geruite of gestreepte stof, en vervolgens gingen ze ermee naar de kleermaker.

's Avonds zat mijn vader op de veranda met een kopje thee en luisterde naar de BBC op zijn op batterijen werkende transistorradio. Soms ging ik bij mijn vader zitten en luisterde met hem naar de radio, maar meestal kwam mijn moeder er dan tussen en zei dat ik mijn huiswerk moest afmaken. School vonden mijn ouders heel belangrijk, en mijn vader koos altijd volledig partij voor haar.

'Wat heb je vandaag geleerd?' vroeg hij me elke avond bij het eten. 'Heb je geleerd hoe je de wereld moet besturen?'

'Nee,' antwoordde ik dan.

'Nou, ga dan maar naar binnen en maak je huiswerk.'

En dat deed ik dan.

Ons huis had twee slaapkamers, een veranda en een ommuurde tuin waarin een weilandje voor de koeien was afgezet. In de jongenskamer sliepen mijn vier broers en mijn vader. Wij, de vijf dochters, sliepen in de meisjeskamer met mijn moeder.

Mijn broers waren:

Athian, geboren in 1961, in Kawajok, mijn vaders geboorteplaats.

Wek, die in 1966 in Liberia is geboren toen mijn ouders op de vlucht waren.

Mayen, geboren in 1969 in Liberia.

Deng, geboren in Wau in 1982. Hij is nu, met zijn een meter negenennegentig, de langste van het stel. Vergeleken bij hem ben ik ondanks mijn een meter tachtig klein.

Mijn zusjes zijn:

Ajok, geboren in 1964 in Oeganda.

Adaw, geboren in 1972 in Oeganda.

Akuol, geboren in 1974 in Oeganda en genoemd naar mijn moeder.

Athieng, de jongste, geboren in Wau in 1979.

Toen ik klein was, waren Ajok, Wek en Athian al het huis uit om te studeren of in Khartoem te wonen. Toen ik negen was, woonde Ajok in Londen met haar man, een Soedanees die daar architectuur studeerde. Maar voor mijn ouders waren er nog genoeg kinderen thuis om voor te zorgen.

Onze tuin bestond uit een stuk harde grond dat we goed aanveegden om slangen en andere dieren te weren. Er stonden papaya- en mangobomen en mijn moeder hield een moestuintje met okra- en tomatenplanten. Er was geen waterleiding of elektriciteit. We hadden een buitentoilet in de tuin, waar we kranten en bladeren als toiletpapier gebruikten. In de keuken was een kookplaat en hadden we een paar stoofpotten. Onze kamers waren gemeubileerd met krukken en stoelen en we sliepen in gevlochten touwbedden.

Op het gebied van luxeartikelen had we vrij weinig, maar toch ook weer meer dan veel andere mensen. Armoede is relatief. Vergeleken bij mensen bij ons in de buurt, die soms nauwelijks in staat waren eten op tafel te zetten, hadden wij het zo slecht nog niet. Anderzijds hadden we buren die generators hadden en warm water en andere luxueuze zaken die voor ons niet waren weggelegd. Maar eerlijk gezegd dachten we nooit over dat soort dingen na. We hadden nooit honger, hoewel we ook niet overdadig aten.

En we hadden altijd kleren, ook al waren ze afgedragen.

Totdat ik naar school ging, liep ik, zoals de meeste kinderen, de hele dag achter mijn moeder aan. Ze had een sterke ondernemingsgeest en probeerde voortdurend een extra centje bij te verdienen. Ze had altijd wel iets in de tuin wat ze kon verkopen. Of ze pachtte land van iemand en verbouwde er bijvoorbeeld pinda's op die ze op de markt verkocht. Ze stookte zelfs alcohol in een geïmproviseerd distilleervat. Iedereen was dol op haar brouwsel, dat puur en sterk was en goed smaakte, althans dat beweerde men. Zelf dronk ze er nooit van en ook ik heb het nooit geproefd.

Mijn vader wel. Af en toe ging hij naar zijn vrienden om een paar borrels te drinken. Als hij dat deed, werd mijn moeder altijd razend van woede.

'Wat heb ik je nou gezegd?' schreeuwde ze dan. 'Waarom moet je drinken?'

Dan glimlachte mijn vader alleen maar en zei tegen haar dat hij af en toe iets ging drinken als hij daar zin in had en als zij dat niet leuk vond, dan moest ze maar niet op hem letten en hem met rust laten. Eigenlijk dronk hij zo weinig dat het nauwelijks een punt van discussie was. Mijn moeder had een hekel aan dronken mensen. In haar ogen was het net zo slecht als lui zijn.

Er was altijd werk te doen. Elke ochtend stond mijn moeder als eerste op om haar koeien te melken. Dan maakte ze ons wakker en gaf ons een kopje thee. Meer gebruikten we niet als ontbijt. We aten nooit meer dan twee keer per dag, en vaak zelfs maar één keer wanneer we krap bij kas zaten of er in de moestuin niet veel te oogsten viel. Dit was voor ons heel gewoon en niemand maakte er een punt van. Van een beetje honger is nog nooit iemand doodgegaan. Ik heb al van jongs af aan geleerd niet te klagen wanneer we een of meerdere maaltijden moesten overslaan, hoewel honger een mens geestelijk en lichamelijk kan uitputten. Maar je waardeert het eten dat je krijgt des te meer. Na de thee maakten we onze bedden op en ruimden de kamers op. Vervolgens veegden we elke ochtend het hele huis aan en dweilden we de vloeren. Daarna gingen we de tuin in.

'Vergeet niet de mest te verzamelen,' zei mijn moeder dan.

Dinka's hebben een speciale band met koeien en het idee om mest te verzamelen is niet eens zo gek. Koeienmest is vrij zuiver, want uiteindelijk is het niet meer dan gras en water. Het is niet alleen de mest. Soms steekt een dorpsjongen, die zijn kudde aan het hoeden is, zijn hoofd onder een plassende koe, zodat de urine over zijn haar en lichaam stroomt. Koeienurine doodt luizen en houdt muggen op afstand. Het is een totaal andere kijk op de wereld. Maar als je er goed over nadenkt, is het gewoon een slimme manier om insecten te bestrijden. Medicijnen en insecticiden zijn op het platteland immers moeilijk te krijgen.

Dus mij kon het niet zoveel schelen dat ik de mest met mijn handen moest oprapen en in een hoek op een hoop moest gooien. Het rook niet eens vies. We lieten de mest de hele dag in de tuin drogen en 's avonds staken we het in brand, zodat de rook de muggen en vliegen op afstand hield. Vervolgens gebruikten we de as om de koeienhuid mee in te wrijven, omdat teken daar niet tegen kunnen. Soms gebruikten we diezelfde as, die door de hitte was gezuiverd, als tandpasta. In die tijd hadden we nog geen plastic borstels. In plaats daarvan kauwden we net zolang op stokjes totdat ze zacht waren. Dan wreven we ermee langs onze tanden en ons tandvlees. De stokjes alleen voldeden prima, maar nog beter was het resultaat in combinatie met de veraste mest. Jaren later, op mijn achtentwintigste, ging ik voor de eerste keer naar de tandarts. Hij zei dat ik een onvoorstelbaar gezond gebit had. Dus als het om gebitsverzorging gaat, pleit ik voor stokjes en mestpoeder. Hoewel ik moet toegeven dat ik, sinds ik uit Afrika ben vertrokken, een tandenborstel en tandpasta ben gaan gebruiken, omdat ik nu eenmaal geen koeien in mijn achtertuin meer had.

Mijn moeder was een liefdevolle vrouw en een goede moeder voor ons. Dinkakinderen worden geacht hun ouders te gehoorzamen en hun mond te houden. Met name in de dorpen gaat het op die manier. Mijn ouders waren over het algemeen vrij makkelijk en stelden geen al te hoge eisen aan ons, maar we werden wel geacht hen te respecteren. Mijn moeder hield van ons, maar voedde ons tegelijkertijd met ijzeren hand op, soms met behulp van een stok die ze gebruikte om ons mee te slaan als we ons te erg misdroegen. Toch haalde ik het een keer in mijn hoofd te doen wat ik zelf wilde. Ik was een wildebras, die altijd in bomen klom en op muren klauterde. Soms wilde ik gewoon niet luisteren. We hadden een buurmeisje dat ik heel aardig vond, genaamd Sarah. Als het donker was, klom ik wel eens stiekem over de achtermuur en ging ik naar haar huis, waar we bij haar in de tuin liedjes zongen en spelletjes deden. Op een avond kwam ik helemaal onder de vlekken van de achtermuren thuis. Mijn moeder zei: 'Moet je nou kijken! Je hebt je kleren bedorven met al dat geklauter.'

Ze was boos. Ik rende weg en probeerde me te verstoppen. Maar ze meende het. Ze liep de tuin in en brak een tak van een struik. Ze vond me achter de regenton en het ging allemaal zo snel dat ik mijn billen al voelde branden nog voor ik weer de benen kon nemen.

In mijn cultuur was een pak slaag heel normaal. Iedereen sloeg zijn kinderen om ze tot de orde te roepen. De meeste mensen, zoals mijn ouders, deden het alleen als ze het absoluut noodzakelijk achtten. Maar ook de leraren op school sloegen de kinderen. Pas toen ik overstapte naar een school in de stad, die werd gerund door Italiaanse nonnen, kwam ik erachter dat niet alle volwassenen kinderen slaan.

Die school vond ik geweldig. Zoals zoveel goede dingen in onze stad werd ook deze school geleid door christelijke missionarissen in plaats van door onze regering. Deze mensen kwamen vanuit alle hoeken van de wereld om te helpen ons leven stap voor stap te verbeteren. Men had natuurlijk gehoord over de verwoestingen die de eerste burgeroorlog in ons land had aangericht en over de gezinnen die op de vlucht waren geslagen, van wie velen zonder veel toekomstverwachtingen in Wau terecht waren gekomen. Daarop stuurden de hulporganisaties overal ter wereld hun vrijwilligers en hulpverleners naar ons land om mensen in nood te helpen. Vaak probeerden de missionarissen ons te bekeren tot hun godsdienst en even zo vaak lukte hun dat, hetgeen verklaart waarom er zoveel christelijke Dinka zijn. Er waren ook organisaties die zich niet bezighielden met religieuze praatjes maar zich puur richtten op het verbeteren van onze levensomstandigheden. Een van de beste dingen in onze stad hebben we aan UNICEF te danken. Die organisatie heeft verspreid door de stad een reeks waterputten aangelegd. Ik zal ze eeuwig dankbaar zijn voor dat schone water. Wij hadden het geluk dat er een pomp vlak bij ons huis werd aangelegd. Veel mensen in Soedan moeten nog steeds elke dag urenlang lopen om water te halen. Wij hoefden alleen maar even de straat uit te wandelen.

Toen ik wat ouder was, stuurde mijn moeder me elke ochtend en avond naar de pomp om water te halen. Dat was echt een uitje voor me. Meestal moest ik na school thuisblijven om te helpen of huiswerk te maken, dus water halen gaf me een van de weinige kansen om mijn vrienden te ontmoeten. We kletsten over van alles, over leraren, andere kinderen, of we deden spelletjes. Een keer werd ik door een stel kinderen in de bak gegooid waarin het water werd verzameld en moest ik kletsnat naar huis. Dat vond mijn moeder niet zo leuk.

Veel minder vaak lukte het me naar een andere plek te gaan waar ik graag kwam. Vlak bij de put leidde een pad door het gras naar het hoogste punt van de stad. Het pad werd overschaduwd door breed uitwaaierende acacia's en op de heuvel stonden hoge lulubomen. Soms zag ik vrouwen de kleine lulunoten rapen. De noten worden samengeperst tot sheaboter, die als vochtinbrengende crème wordt aangeprezen. Daar, op die heuvel, kon ik kilometers ver kijken over de uitgestrekte vlakte die Wau omringde. Ik zat in het gras en speurde de hemel af op zoek naar vliegtuigen die op het vliegveld gingen landen. Gebiologeerd keek ik naar de zilveren gloed van de zon op de vleugels en ik stelde me voor waar het vliegtuig vandaan kwam en wie er aan boord waren. Goed geklede buitenlanders uit een ver land, wist ik. Verder dan Khartoem. Van de andere kant van de wereld misschien wel. Ik hield van mijn geboortedorp, mijn familie en ons huis, maar ik vond het ook heerlijk om te fantaseren dat ik door de blauwe lucht vloog op weg naar een exotische bestemming.

Ik had er al ervaring mee, want toen ik pas vijf jaar was, heb ik in mijn eentje in een vliegtuig gereisd. Ik werd voor medische behandeling naar Khartoem gestuurd. Al vanaf dat ik een baby was, had ik last van een ernstige vorm van psoriasis over mijn hele lijf. Niemand wist wat er aan gedaan kon worden. Ik had overal jeuk en ik krabde mijn huid tot bloedens toe open. Daardoor kreeg ik infecties en etterende wonden. Mijn armen, benen en borst en zelfs mijn gezicht waren bedekt met korsten. Mijn handpalmen waren pijnlijk gebarsten en ik hield ze liever dicht, zodat ik de wonden niet uitrekte.

'Doe je handen open, Alek,' zei mijn moeder steeds. 'Als je ze dicht houdt, genezen ze op die manier en krijg je ze nooit meer open.'

Ze vond het vreselijk om mij te zien lijden. Als ik bijna moest huilen van de pijn, verstopte ik me in een hoekje waar ze me niet kon zien, want als ze me zag, keek ze alsof ze zelf ook zou gaan huilen. Ik had zelfs psoriasis op mijn voetzolen en door op de open wonden te lopen werd het alleen maar erger. Soms kon ik het rauwe vlees en de pus in de barsten in mijn voetzolen zien en dan schaamde ik me dood. Maar ik moest ermee zien te leven. Mijn huid werd grijzig en wit. Mijn moeder scheerde mijn hoofd kaal en wreef vaseline op mijn schedel om het schilferen tegen te gaan. Het is merkwaardig dat ik uiteindelijk mijn brood verdien met mijn uiterlijk, terwijl ik er jarenlang als een monster heb uitgezien. Gelukkig hadden we, toen ik jong was, nog geen spiegels.

Mijn moeder was de wanhoop nabij omdat alles wat ze probeerde vergeefs was. Op een dag trok ze me mijn enige nette jurk aan, een katoenen hemdjurk met smalle gele en roze strepen en opgestikte zakken. We wandelden naar een kleine, houten winkel vlak bij de markt. Ze klopte op het luik dat voor het raam zat.

'Ja, een ogenblik alstublieft,' klonk de stem van de winkelier.

Het was geen gewone winkel. Een man opende de deur en keek ons met bloeddoorlopen ogen aan. Achter hem bevonden zich smalle planken waarop flessen bier en sterkedrank stonden. Op de toonbank stond een plastic emmer vol met lucifers naast een blikje met losse sigaretten.

'Geef me zes sigaretten en een fles van die rietsuikerwhisky,' zei mijn moeder.

Ik was geschokt. 'Maar je drinkt toch niet,' zei ik.

'En roken doe ik ook niet,' antwoordde ze.

'Waar heb je dat dan voor nodig?'

'Ik heb even geen behoefte aan vragen van een klein meisje dat Alek heet. Dat kleine meisje vraagt me altijd al het hemd van het lijf. Je komt er gauw genoeg achter.'

De winkelier wikkelde de sigaretten in een stuk krant en deed hetzelfde met de fles, waarna hij de pakjes aan mijn moeder overhandigde, die ze snel in haar zak verborg.

We liepen verder de heuvel af naar een deel van Wau waar ik nooit mocht komen. Het lag verderop aan de spoorlijn, letterlijk aan de verkeerde kant van het spoor. Het was een buurt waar veel boeren woonden, vaak in huisjes van leem en zelfs gewoon in tenten van stokken en lappen. Kinderen renden er naakt in het rond. We kwamen bij een kleine boerderij. Tegen de schutting groeide een klimopplant met gele bloemen en er stonden kruiden in potten bij de deur.

'We zijn er,' zei mijn moeder.

'Wat?'

'Hier woont een man die naar je huid gaat kijken. Hij heeft speciale krachten.'

Ik kreeg kramp in mijn maag van de zenuwen. Toen rook ik de geiten: de zure, verschaalde, misselijkmakende lucht van geiten. Ik zag verderop een kudde staan en op een rots in de zon stond een emmer geitenmelk vliegen aan te trekken. Ik moest bijna overgeven.

Mijn moeder riep iets.

'Wat wil je van me?' riep een mannenstem.

'Ik kom voor mijn dochter,' zei mijn moeder.

De man deed de deur open en de rook van zijn kookvuur kringelde naar buiten. Hij kwam achter de rook aan naar ons toe, waardoor hij er even sprookjesachtig uitzag. Hij had grijze, aaneengeklitte dreadlocks, een sliertig baardje waarin kralen waren gevlochten. Zijn ogen hadden een gelige kleur. Zijn voddige kleren waren met klimop vastgebonden en hij droeg een ketting van veren. Ik was ervan overtuigd dat hij gek was. Waarom bracht mijn moeder mij hierheen?

'Moet je zien,' zei hij terwijl hij mijn armen bekeek. 'Je hebt hulp nodig.'

Hij onderhandelde over de prijs met mijn moeder – ze zou hem een zak pinda's brengen. Toen we zijn donkere huis binnenstapten, sloeg de stank van rook en dieren ons in het gezicht. Door de spleten in de houten wand filterde het zonlicht naar binnen.

'Tabak?' vroeg hij dwingend.

Mijn moeder gaf hem de sigaretten en de fles whisky.

'Ga eens staan,' zei hij tegen mij.

Hij nam een handvol verse kruiden en strooide ze over me heen terwijl hij smeekbeden richtte tot God of, wie weet, de duivel. Vervolgens wreef hij mijn armen en gezicht met de kruiden in om de oliën vrij te maken, waarna hij mijn huid met een houten spatel afschraapte. Toen hij klaar was, liet hij me een handvol korreltjes zien, waarvan hij zei dat hij ze van mijn huid had afgeschraapt. Ze zagen er uit als bedorven gierst. Het was weerzinwekkend en ik wist dat het allemaal één grote truc was. Hij wierp me een eigenaardige blik toe, alsof hij mijn gedachten kon lezen. Toen nam hij een slok alcohol en spuugde die in een fijne nevel over mijn huid. Hij vouwde de krant open, pakte een sigaret en bekeek het merk. Hij glimlachte. Mijn moeder had namaak-Malboro's gekocht, die veel duurder waren dan Soedanese merken. Hij stak de sigaret aan en blies wolkjes rook in mijn gezicht, waardoor ik moest hoesten. Vervolgens zoog hij zijn longen vol rook, waarbij hij bijna een kwart van de sigaret opbrandde. Hij liet de rook in een grote wolk ontsnappen en wuifde de wolk met zijn handen naar mijn lichaam. 'Klaar,' zei hij. 'Wacht maar even buiten.'

Ik stond in de tuin als een bezetene over mijn huid te krabben totdat mijn moeder met een zak kruiden naar buiten kwam. De hele weg naar huis dwong ik mezelf niet te krabben, omdat ik mijn moeder niet het idee wilde geven dat ze haar tijd en geld had verspild aan deze medicijnman. Maar ik wist wel beter.

Thuis weekte mijn moeder de kruiden tot een dik, bitter drankje waarvan ik moest kokhalzen. Twee weken lang moest ik elke ochtend een dosis van dit weerzinwekkende brouwsel innemen. Natuurlijk hielp het niet. Mijn huid bloedde, zweerde en jeukte nog steeds. Mijn moeder nam me mee naar een paar andere genezers, allemaal griezels, maar geen van allen kon me helpen. Ik zag verdriet en machteloosheid op het gezicht van mijn moeder.

Uiteindelijk besloot ze dat ik naar Khartoem zou gaan. Mijn vader was daar om behandeld te worden voor een gebroken heup. Op een stikdonkere nacht was hij per ongeluk niet ver van ons huis met zijn fiets in een diepe kuil gereden. De dokters in Khartoem hadden ijzeren pinnen ingebracht om de botdelen bij elkaar te houden. Tijdens zijn herstel logeerde mijn vader bij mijn oom, die arts was, en mijn broer Athian. Als er iemand was die me kon helpen was het die oom, dacht mijn moeder. Ook dacht ze dat het goed voor me was om mijn vader te bezoeken. Dus op een ochtend pakte ze een setje kleding in een tas en liepen we enkele kilometers de stad uit naar het vliegveld. Daar vroeg ze aan het vliegtuigpersoneel om op me te letten. Ik liep over het asfalt en klom via het trapje het vliegtuig in. De propellers waren reusachtig. Ik twijfelde er niet aan dat ze me hoog door de lucht boven de woestijn zouden meevoeren.

In het toestel zat ik in de meest comfortabele stoel waarin ik ooit gehad gezeten. Ik zag de piloot in de cockpit in de weer met allerlei ingewikkelde knoppen en toetsen. Enerzijds vond ik het spannend, maar anderzijds kostte het me moeite mijn moeder achter te laten. Toen ik uit het raampje keek, zag ik haar aan de rand van de startbaan staan. Ik zwaaide en zwaaide, maar ze zwaaide niet terug. Waarschijnlijk zag ze me niet. We stegen op en vlogen hoog boven de uitgestrekte vlakte naar de stad. Athian kwam me ophalen van het vliegveld en ik bleef maandenlang in Khartoem waar ik vele dokters zag die allemaal zeiden dat mijn psoriasis ongeneeslijk was. Ten slotte kreeg ik het bericht van mijn moeder dat ik naar huis moest komen om naar school te gaan. Terug in Wau werd mijn huid nog veel erger. We gingen bij andere medicijnmannen langs. Niets hielp. Toen ik zeven was, slaagde mijn moeder erin me opgenomen te krijgen in een Duits missieziekenhuis dat op een uur lopen van ons huis, vlak bij de rivier Jur, vandaan lag. De Duitsers stonden bekend als deskundigen op het gebied van huidaandoeningen, dus we dachten dat zij wel een remedie zouden weten. Ik herinner me nog goed dat ik op een van de eerste dagen dat ik daar was bij een Duitse dokter moest komen. 'O mijn god,' zei hij toen hij me zag, en hij verliet de spreekkamer. Zo erg zag mijn huid eruit.

Ik bleef een maand in het ziekenhuis. Ik werd met zalfjes ingesmeerd en mijn armen en benen werden in verband gewikkeld. Zo kon ik mezelf niet krabben en genas mijn huid beter. Het eten was goed en ik rustte uit in de zon. Maar ik voelde me erg eenzaam. Mijn ouders kwamen zo vaak als ze konden op bezoek, maar het was te ver om elke dag te komen. Ik miste mijn moeder heel erg. Soms bleef ze een paar nachten in het ziekenhuis logeren, maar dat gebeurde niet vaak, want ze moest natuurlijk ook nog voor mijn broers en zusjes thuis zorgen.

Het ziekenhuis was een soort doolhof, met kamers die uitkwamen op een veranda en een verborgen, met bloemen gevulde binnenplaats. Het was een schone, aangename omgeving. Uiteindelijk genas mijn huid en werd ik ontslagen. Ik voelde me fantastisch. Maar zodra de behandeling werd stopgezet, kwam de psoriasis terug en begon ik me weer tot bloedens toe te krabben. Het was hels. Ik kon nog geen citroen uitpersen zonder dat mijn handen brandden van het sap dat in de barsten van mijn huid kwam. De andere kinderen lachten me soms uit. Ik vond het vreselijk. Ik voelde me een buitenbeentje.

Achteraf denk ik dat de tijd dat ik aan psoriasis leed me geleerd heeft dat schoonheid relatief is. Iemand op zijn uiterlijk beoordelen, zeggen dat iemand mooi of lelijk is, heeft eigenlijk weinig te betekenen. Schoonheid zit vanbinnen. En ik kan het weten, want door mijn huidziekte werd ik in mijn kindertijd lelijk gevonden, maar toen mijn huid genas, vonden mensen me ineens mooi, terwijl ik dezelfde persoon was gebleven, met goede en slechte kanten, net als ieder ander. Ik was niet wezenlijk veranderd, mijn huid was alleen genezen.

Ondanks de psoriasis had ik best een leuke jeugd. Als ik niet naar school hoefde, ging ik 's ochtends vaak met mijn moeder naar de markt om groente en vlees te kopen bij de vrouwen die hun producten op ezels van het platteland naar de stad brachten. Het vlees was vaak erg vies, omdat ze het gewoon aan stukken sneden en het op een tafel in de open lucht neerlegden, waar het zwermen vliegen aantrok. Je moest het vlees echt heel grondig bakken om de bacteriën te doden. We hadden geen keuze, dus we dachten er ook niet echt over na. Alles was te koop op de markt, zelfs dikke, geroosterde termieten die kraakten als chips als je erop kauwde.

Ons favoriete voedsel was een plat Dinkabrood, dat we kissra noemden. We maken het van een deeg van maïs en andere granen. Het deeg leggen we op een bakplaat en drukken het plat met een palmblad. Als het gaar is, pak je het van de bakplaat en leg je het op de stapel broden die al zijn gebakken, net als pannekoeken. Het brood wordt in stoofschotels gedipt.

Een bepaalde stoofschotel noemden we *ni'aimiya*, gemaakt van uien, kruiden, noten en okra of vlees, soms met yoghurt of melk erin. Er waren nog een paar andere gerechten die ik nog lekkerder vond: *waika*, *bussaara* en *sabaroag*, die van gedroogd okrapoeder waren gemaakt en waarin soms aardappelen, aubergines en kruiden werden verwerkt. Als we geen kissra hadden, aten we de stoofschotels vaak met een maïspap, die *asseeda* werd genoemd. Soms serveerde mijn moeder de pap met een schotel van gedroogde vis, die *kajaik* heette.

Bij speciale gelegenheden aten we wel eens *elmaraara* of *umfi tit*, die worden gemaakt van slachtafval van schapen, uien, pindakaas en zout. Het werd rauw gegeten. Hoewel we niet vaak soep aten, was ik er dol op. We aten soep die *kawar'i* heette, gemaakt van hoeven en groenten. Of we aten *elmussalammiya*, gemaakt van lever, bloem, dadels en kruiden. Meestal dronken we thee of water en een enkele keer melk. Om de zoveel tijd kregen we vruchtensap, dat we maakten door sinaasappel- en citroenpulp met water te vermengen.

Mijn moeder vertelde me dat ik er als kind een eigen dieet op nahield: ik at zand.

'Ik zag je soms het zand van de muur likken,' zei ze. 'En ik betrapte je er vaak op als je zand in je mond stak.'

Ze dacht dat mijn psoriasis veroorzaakt werd door het zand, maar dat betwijfel ik. Ik weet niet waarom ik zand at. Sommige mensen schijnen modder te eten, en volgens wetenschappers is dat een manier om de nodige mineralen binnen te krijgen. Ik kan het me niet echt voorstellen, maar misschien ontbrak er iets aan mijn dieet. Wie zal het zeggen? Ik heb een heel gewone jeugd gehad. Totdat de tanks kwamen. Toen ik acht was, reden grote, ratelende legertrucks vol met soldaten Wau binnen. Alles veranderde.

2

Het was een schok legertrucks door de straten van mijn stad te zien rijden en mannen in groene uniformen bij de huizen van mijn vrienden te zien rondhangen. Wau was niet langer de stad waar ik me thuis voelde, maar een militaire zone, met rebellen in de buitenwijken, soldaten in het centrum en losbandige milities die verspreid door de stad vernielingen aanrichtten. Ik kon zelfs niet meer de heuvel op wandelen om vliegtuigen te spotten omdat de soldaten daar hun communicatieapparatuur hadden opgesteld en zich zouden afvragen wat een Dinkameisje daar te zoeken had.

We wisten dat er voortdurend soldaten werden aangevoerd, omdat er al maandenlang alleen militaire vluchten waren toegestaan op het vliegveld, maar tot die tijd had ik nauwelijks iets van ze gemerkt en zag ik ze bijna nooit op straat. Nu kon ik niet meer naar school lopen zonder mannen met geweren en zelfs tanks te passeren. Ik was onder de indruk van de wapens en kon me moeilijk voorstellen dat ze ook op mij gericht konden worden. Pas toen mijn moeder ons begon te waarschuwen dat we na school meteen naar huis moesten komen omdat het te gevaarlijk was op straat, besefte ik dat de soldaten er niet per se waren om mij te beschermen. Zodra de schemering viel moesten we binnen zijn. Niettemin probeerden we overdag onze normale gang te gaan. Mijn moeder bleef de koeien naar de wei brengen en er moest altijd water worden gehaald bij de pomp. Op een middag zetten mijn jongere zusje Athieng en ik onze plastic jerrycans op ons hoofd en gingen op weg om water te halen. Bij de pomp troffen we een paar andere kinderen aan en begonnen verstoppertje te spelen. Ik kon het goed met Athieng vinden omdat ze niet de baas over me speelde, zoals mijn andere broers en zussen.

Ik had me verstopt op mijn favoriete plekje, achter een dikke oude acacia, waar om een of andere reden nooit iemand zocht. Pas toen we na een tijdje pauzeerden om wat water te drinken, zag ik dat het daglicht ineens de diepgele kleur aannam die je alleen rond de evenaar ziet en besefte dat het begon te schemeren. Mijn moeder zou doodongerust zijn.

'We moeten naar huis,' zei ik, en ik greep Athieng bij haar arm. We vulden de jerrycans en haastten ons naar huis. Het water druppelde over onze gezichten omdat we de deksels niet goed hadden gesloten. Wanneer we iemand tegenkwamen, zei ik tegen mijn zusje dat ze haar ogen op het pad gericht moest houden. Zodra het schemerig werd gingen de schietgrage milities op strooptocht. Niemand mocht aan mijn zusje komen.

We werden gepasseerd door een groen pantservoertuig die een rode stofwolk opwierp. Een van de soldaten staarde me van onder zijn donkere baret aan. Hij had witte tanden en likte over zijn droge lippen terwijl hij ons van top tot teen opnam.

Langs een rij groene trucks renden we naar huis. Aan de zijkanten van de voertuigen hingen helmen, geweren en gasgranaten, en de soldaten maakten een alerte, opgewonden indruk, klaar om in actie te komen. Ik was doodsbang. We holden onze tuin in en sloten het hek achter ons, in de hoop de wereld te kunnen buitensluiten. Daar had je mijn moeders koeien, haar moestuin. We waren dolblij dat we weer thuis waren.

Binnen zaten mijn vader en moeder aan de radio gekluisterd. Hij stond heel zacht. Mijn moeder keek op, legde haar vinger op haar lippen en zei: 'Sst. Doe gauw de deur dicht.'

Ze luisterden naar het – illegale – radiostation van de rebellen. Het was gevaarlijk om naar die zender te luisteren. Ik hoorde de radio-omroeper zeggen dat het conflict zich had uitgebreid tot Wau.

'Oorlog?' zei ik.

Mijn vader knikte. De oorlog was kort daarvoor, na tien jaar vrede, weer opgelaaid. Ze hadden ons kinderen niets verteld, in de hoop dat het conflict aan Wau voorbij zou gaan. Maar dat was ijdele hoop gebleken.

De tweede burgeroorlog begon in 1983. Ik was acht jaar oud. De rebellenleider John Garang had het Soedanese Volksbevrijdingsleger, de SPLA, opgericht om de noordelijke troepen, die het zuiden trachten te overheersen, te bestrijden. President Gaafer Nimeiry had besloten de autonomie van het zuiden op te heffen omdat conservatieve moslimfanaten een bedreiging vormden voor het bewind.

Gaafer Nimeiry kondigde aan van heel Soedan een Arabisch, islamitisch land te maken. Het noorden was als eerste aan de beurt. Hij riep de noodtoestand uit, trok het overgrote deel van de Grondwet in en verving de noordelijke rechtbanken door speciale 'noodrechtbanken' die volgens de sharia moesten rechtspreken. De sharia is een systeem aan de hand waarvan moslimgeestelijken de Koran en leerstellingen van de islam interpreteren en regels opstellen voor de manier waarop moslims moeten leven. Het wordt ook wel de 'islamitische wet' genoemd. De sharia is op bepaalde punten erg hard en kent bijvoorbeeld straffen als amputatie en steniging voor mensen die overspel plegen of alcohol verkopen. Niet-moslims hebben minder rechten en worden, evenals vrouwen, beschouwd als tweederangs burgers. Aan de sharia viel niet te ontkomen – het was de nieuwe wet.

Al snel hoorden we via via dat er dieven met één hand in het straatbeeld van Khartoem verschenen, omdat hun andere hand was afgehakt als straf voor hun misdaad. Een geldhandelaar werd opgehangen omdat hij buitenlands geld bij zich had. Vrouwelijke ondernemers werden gegeseld omdat ze alcohol verkochten. Oppositieleiders verdwenen in de gevangenis. Maar de SPLA vocht terug. De rebellen wilden voorkomen dat Nimeiry de sharia ook aan het zuiden zou opleggen en verzetten zich tegen de overheersing door het noorden. Steeds meer zuidelijke dorpen en steden kwamen in handen van de rebellen. Wanneer ze een gevecht wonnen, draaiden ze een overwinningslied op hun radiostation. Wau was vanwege zijn vliegveld voor beide partijen een belangrijk doelwit.

Van de ene op de andere dag mochten we bijna niets meer van onze ouders. Wau was van oudsher een handelsplaats, waar Dinka, Blanda, Shual, moslims, christenen en andere bevolkingsgroepen vreedzaam naast elkaar hadden geleefd. Ik was altijd geïnteresseerd geweest in de gebruiken en tradities van andere volkeren. Wij Dinka kennen bijvoorbeeld het ceremoniële huwelijk met koeien. Andere stammen trouwen met geiten.

Zodra de soldaten op het toneel verschenen kwam er een einde aan de ontspannen omgang met onze buren van andere stammen en religies. Men begon elkaar te wantrouwen. Plotseling hoorden we sommige buren beweren dat de problemen werden veroorzaakt door de Dinka en dat het zonder hen nog altijd vrede zou zijn. Per slot van rekening waren de Dinka ruim vertegenwoordigd in het bevrijdingsleger van de rebellen. In Soedan kun je over het algemeen makkelijk aan iemands uiterlijk of kleding zien tot welke stam hij behoort. Gurcholmannen, bijvoorbeeld, dragen kralenbanden om hun middel en een lendendoek, die vanaf de band aan de voorkant tussen de benen door naar achteren wordt geslagen, waar hij weer onder de band door wordt getrokken. De diverse Dinka zijn makkelijk te herkennen aan hun lange, tengere bouw en aan de ronde of v-vormige littekens op hun voorhoofd en wangen.

Door al deze beschuldigingen aan het adres van de Dinka waren we bang dat onze buren ons zouden verstoten.

Het was het droogteseizoen en de nachten waren snikheet. Normaal spreidden we 's avonds onze dekens uit op de veranda of op de grond, zodat we elkaar in de koele avondlucht verhalen konden vertellen totdat we in slaap vielen. We gingen altijd vroeg naar bed omdat we rond het ochtendgloren, of eerder, wakker werden van de kippen en de honden uit de buurt. Maar omdat er aan de rand van de stad werd gevochten, mochten we van onze ouders niet meer buiten slapen.

In plaats daarvan gingen de deuren van ons huis al vroeg in de avond op slot, en er ontstond paniek wanneer een van ons tegen zonsondergang, rond een uur of zeven, nog niet thuis was.

'Waar is Deng? Waar is Adaw – het is al bijna donker!' zei mijn moeder dan, bezorgd om mijn jongere broer of zusje. 'Ik hoop niet dat ze de verkeerde mensen tegen het lijf lopen.'

Ik had me mijn hele jeugd veilig gevoeld in Wau, maar nu werd duidelijk dat zelfs de lokale politie de zaak niet meer onder controle had. We hoorden doorlopend verhalen over nieuwe milities die werden gevormd uit bendes zonder enige politieke loyaliteit. Vaak waren het mannen die van hun bezittingen waren beroofd en door regeringssoldaten waren verjaagd uit hun geboorteplaats, of gewoon arme of kwaadaardige figuren. Ze deden niets anders dan stelen, mensen lastigvallen, vrouwen verkrachten en eigendommen vernietigen. Het maakte hen niet uit wie of wat je was. Op het platteland vielen ze boerderijen binnen, vermoordden de bewoners en stalen hun eten. Zo kwamen ze aan hun proviand. Veel van die jongens waren eigenlijk gewoon tieners met geweren. Soms vermoordden ze een politieagent om zijn uniform, zodat je nooit wist wie je kon vertrouwen.

Het waren de mensen van de duisternis: ze kwamen alleen 's nachts tevoorschijn. Ik zag ze bijna nooit.

Op een avond lag ik in bed toen ik op straat een paar mannen hoorde schreeuwden. Ze leken dronken.

'Mama,' riep ik. 'Wat is er?'

'Sst,' siste mijn moeder.

Ik zweeg.

'Het zijn de milities,' fluisterde ze. 'Ze mogen niet weten dat we hier zijn.'

We kropen angstig tegen elkaar aan, op alles voorbereid. Gelukkig liepen ze door.

Mijn vriendin Aisha vertelde me verhalen over milities die kinderen stalen en als slaven verkochten. Ze zei dat er in de bush kampen waren vol met kinderslaven die maar één keer per dag water kregen en twee keer per week oud brood met meelwormen erin. Mijn wereld leek ineens vol gevaar.

Sommigen van onze buren verdwenen. We zagen ze nooit vertrekken of hun huis verlaten. We merkten alleen dat ze weg waren. Vaak hadden we 's nachts alleen geweerschoten gehoord en bereikten ons later de geruchten, die door de vrouwen over de tuinmuren werden doorverteld.

De geruchten waren angstaanjagend: 'Heb je het gehoord van Robert? Hij is weg. Dood.' Of: 'Dengs vrouw is onder bedreiging van een vuurwapen ontvoerd en meegenomen als slaaf.'

Op een middag kondigde de radio-omroeper op zakelijke toon aan dat alle inwoners van Wau binnen moesten blijven omdat de rebellen een offensief waren begonnen. Ze wilden de stad en het vliegveld onder controle krijgen. Het feit dat de rebellen voornamelijk Dinka waren, was verwarrend – we wisten niet wie we moesten vertrouwen: de regering of onze eigen mensen?

Mijn vader dacht meer in termen van: 'Dinka of niet, ze kunnen je zomaar vermoorden. Ga er maar niet automatisch vanuit dat de rebellen Wau komen bevrijden.' Hij vertrouwde de regering noch de rebellen.

Regelmatig weerklonken de kalasjnikovs door de nacht. Het wende niet en ik leerde er nooit doorheen te slapen. De rebellen vochten tegen het leger. Het leger vocht tegen de politie. De bendes vermoordden mensen voor geld, kleding, kippen of zelfs een paar oude teenslippers. Waar je ook keek zag je automatische geweren. Als er nog een kogel over was, kon die voor jou bestemd zijn. Het geluid van geweerschoten raakte me zozeer dat het leek alsof ik door een kogel werd getroffen.

Elke dag renden we van school naar huis. We sloten het hek goed achter ons in een poging het gevaar op afstand te houden. Mijn moeder viel soms uit bezorgdheid tegen ons uit, om ons het volgende moment stevig te knuffelen.

'Jullie gaan vandaag niet meer naar buiten,' zei ze dan.

Op een dag, toen ze ons een maaltijd van kissra en okrastoofpot serveerde, hoorden we op straat mannen aankomen, die voor ons huis bleven staan. Ze schreeuwden tegen een man, die we om genade hoorde smeken. Dat schonken ze hem. Ze lachten hem uit en lieten hem gaan. Ze vervolgden hun weg, op zoek naar nieuwe slachtoffers die ze, afhankelijk van hun stemming, zouden lastigvallen of vermoorden. Dergelijke milities waren onze grootste nachtmerrie.

We waren verslaafd aan oorlogsnieuws en schaarden ons zo vaak we konden om de radio. We vernamen dat de rebellen een andere stad hadden veroverd, wat we maar moeilijk konden geloven: tot dan toe was het regeringsleger er uitstekend in geslaagd Wau uit handen van de rebellen te houden die zich in groten getale in de buitenwijken hadden verschanst. Elke dag arriveerden er meer soldaten in de stad. 's Nachts hoorden we de trucks en geweerschoten. Dan joegen ze op de milities of vuurden lukraak schoten af.

Op een ochtend liep ik naar school toen ik een konvooi trucks het centrum van de stad in zag rijden. Ik stond bij een boom en keek toe terwijl ze passeerden. Het was een lange rij, langer dan ik tot dan toe tijdens de oorlog had gezien. De regering bereidde zich duidelijk op iets voor. Ik bedacht dat de rebellen misschien sterker waren dan ik dacht. Misschien hadden ze wel een goede reden om zich tegen de regering te verzetten. Misschien hadden ze op bepaalde punten wel gelijk. Niettemin wilde ik dat er gauw een einde aan de oorlog kwam.

Wau was inmiddels zo vergeven van de regeringssoldaten dat het wel een militaire basis leek. Er hing een onvriendelijke sfeer. Aan alles merkte ik dat mijn ouders nerveus waren. Ik begon me steeds meer zorgen te maken dat ze zouden worden ontvoerd of vermoord, of dat ze ineens gewoon zouden verdwijnen. Als je negen jaar oud bent, is het een beangstigend idee dat je vader of moeder zomaar kan verdwijnen. Tot het moment dat de troepen arriveerden, had ik me altijd vrij gevoeld. De regering moest wel iets fout doen als ze zich met zoveel machtsvertoon moest verdedigen.

Maar oorlog of niet, we hadden elke dag water nodig.

Om het water te kunnen vervoeren, gebruikten we zoals gezegd oude jerrycans die je op de markt kon kopen. Ik rolde altijd een doek op mijn hoofd, waar ik de jerrycan op zette.

Ik herinner me dat mijn zus een keer tegen me zei: 'Je bent mager maar je hebt een sterke nek.'

'Het zit allemaal in je hart,' reageerde ik. 'Het doet er niet toe hoe gespierd je bent.'

Met het lege vat op mijn hoofd liep ik dan onze voortuin uit en de zandweg af. De meesten van onze buren woonden in eenvoudige, geïmproviseerde huizen van cementblokken of hout. Er was één huis dat was opgetrokken uit baksteen en dat werd omringd door veranda's. Het was van een man die een grote brouwerij aan de rand van de stad bezat, nabij de rivier. In Wau woonden zo weinig rijke mensen dat ik nooit nadacht over de verschillen tussen arm en rijk, maar ik wist wel dat zij meer bezaten dan wij. Ik fantaseerde graag dat ik in zijn huis woonde, met gestoffeerde meubelen en een generator om elektriciteit mee op te wekken. Net voorbij deze woning – die waarschijnlijk vergelijkbaar was met een gemiddelde Engelse middenklassewoning in een Londense buitenwijk – lag een weg die linksaf naar de heuvel leidde waar ik ooit naar de vliegtuigen had gekeken. Als je rechtsaf ging, kwam je in een arme wijk, waar veel mannen uit de milities vandaan kwamen. Met arm bedoel ik mensen die in huisjes van afvalhout en stro leefden en slechts voor een paar dagen aan eten in huis hadden.

'Ga daar nooit alleen heen,' had mijn vader me gewaarschuwd. 'Je loopt er de kans vermoord te worden.'

De politie leverde er altijd strijd met milities.

De waterput lag recht tegenover deze splitsing, in een groot groen weiland dat ik even prachtig vond als de parken die ik sindsdien heb gezien. Toen ik een keer met mijn zus Adaw door het weiland naar de pomp liep, walmde me een vreselijke lucht tegemoet. Ik wist dat het de dood was. Toen ik om me heen keek, zag ik zo'n vijftien meter verderop het lichaam van een vrouw in het gras liggen; haar tong hing als een oud stuk leer uit haar mond. Hoewel ze er nog niet zo lang kon liggen, verspreidde haar dode lichaam door de intense hitte al een rottingslucht. Ik wilde het lijk van dichtbij bekijken.

'Nee, Alek, niet doen!' riep Adaw.

Ik besefte dat ze gelijk had. Toen zag ik nóg een lijk.

We renden meteen terug naar huis.

Na dit voorval ging mijn moeder altijd mee water halen en het kwam meer dan eens voor dat we dode lichamen in het weiland zagen liggen.

'Niet kijken,' zei mijn moeder dan.

Maar elke keer dat we bij de pomp kwamen, keek ik stiekem toch. Het ging automatisch. Na verloop van tijd restten er van de lichamen alleen nog botten – botten in kleren. Dat was de oorlog voor mij: dode lichamen die men in een weiland liet wegrotten.

Mijn moeder zou alleen naar de pomp zijn gegaan als ze water voor ons allemaal op haar hoofd had kunnen dragen. De dodenakker bij de waterput werd elke week groter. Ik was bang dat de rottende lijken het water in de put zouden besmetten, maar volgens mijn moeder lagen ze daarvoor te ver verwijderd van de pomp. Toch moest ik bij elk slokje water aan de botten in het weiland denken.

Niet lang daarna verbood mijn moeder ons alleen van huis te gaan. Ze had zich geen zorgen hoeven maken: ik was veel te bang om de straat op te gaan en voelde me alleen maar veilig bij haar in de buurt. Vóór de oorlog liepen mijn broers, zussen en ik altijd alleen naar de missieschool om te volleyballen en andere spelletjes te doen. Dat was nu ineens ondenkbaar. De nonnen organiseerden niets meer omdat ze binnen de veilige muren van hun klooster wilden blijven. Mijn ouders zorgden er altijd voor dat we rond vijf uur 's middags thuis waren.

Het gerucht ging dat de lokale politie bijna door haar ammunitie heen was. Ze hadden altijd hun best gedaan om de plaatselijke bevolking te beschermen, maar nu hadden alleen de regeringssoldaten en milities nog kogels. De eersten gaven, als het erop aan kwam, niets om mensen zoals wij, en al helemaal niet om de Dinka, en de laatsten waren volstrekt meedogenloos. Tot overmaat van ramp begonnen deze twee groepen elkaar in de hele stad te bevechten. 's Nachts was de hemel gevuld met katjoesjaraketten en hoorde je het geschreeuw van mannen en het geratel van automatische wapens. Ik werd altijd op het enige rustige uur van de nacht wakker, net voor zonsopgang. Het werd zo onveilig dat we onze tuin niet meer uit konden.

Vreemd genoeg leidde het geweld tot een soort warme saamhorigheid in de buurt. Mijn moeder had een voorraadje aardappelen en andere gewassen aangelegd. Bovendien beschikten we over gedroogde okra en enkele vaten water. Onze buren hadden hetzelfde gedaan. Als iemand iets nodig had, hoefde hij zijn buren alleen maar om hulp te vragen. Ik herinner me dat ik over de tuinmuur een emmer melk aan de buurvrouw gaf. Zij gaf me op haar beurt een paar tomaten. We zorgden voor elkaar.

Op een gegeven moment werden de beschietingen zo hevig dat we drie dagen lang binnen moesten blijven. Op de tweede dag, net voor zonsondergang, schaarden we ons rond de tafel voor kissra en okrastoofpot. Nadat we de tafel hadden afgeruimd, hielp mijn oudere broer mijn vader overeind, die naar de latrine achter in de tuin wilde. Hij was teruggekeerd uit Khartoem met een aantal pinnen in zijn linkerheup die de breuk moesten helpen genezen. De doktoren hadden gezegd dat hij over een paar maanden terug moest komen om de pinnen te laten verwijderen, maar de situatie in Wau was inmiddels zo verslechterd dat hij niet kon reizen. Omdat zijn heup ontstoken was geraakt, kon hij alleen nog maar hinken. En omdat hij zo slecht ter been was, was hij ook nog eens gevallen en had zijn linkerarm gebroken. Hij leed veel pijn maar er was geen enkele mogelijkheid om hem in Khartoem te krijgen voor behandeling. 's Nachts strompelde hij in zijn eentje naar de latrine – hij was te trots om hulp te vragen. Ik maakte me zorgen om hem.

Overal op straat reden trucks en in de verte klonk geschutvuur. Om een of andere reden was de sfeer nog absurder dan anders.

Buiten op straat hoorde ik mannen naderbij komen, gevolgd door een paar trucks. Opeens brak er vlak voor ons huis een vuurgevecht uit, net op het moment dat mijn vader door de tuin van de latrine terugstrompelde naar de achterdeur. Hij liet zich op de grond vallen om de kogels te ontwijken die over onze tuinmuur vlogen. Mijn hart kromp ineen toen ik hem met een verkrampt gezicht van de pijn in het zand lag liggen. We konden niets voor hem doen.

'Bukken! Bukken!' riep mijn moeder naar hem.

De kogels vlogen in het rond. Het waren de langste twintig minuten van mijn leven.

De dag erop hoorde ik mijn ouders tegen elkaar fluisteren. Hun gezichten stonden nog bezorgder dan anders. Op de radio werd omgeroepen dat de inwoners van Wau zich moesten voorbereiden op een evacuatie.

Die nacht verscheen er een groep militieleden bij onze tuinmuur. Ze rukten aan ons stevige ijzeren hek. Mijn moeder wierp mijn vader een angstige blik toe.

We hadden geen idee wie het waren en waarnaar ze op zoek waren.

'Ze hebben zich waarschijnlijk vergist in het huis,' zei mijn moeder.

Ze begonnen aan het slot van het hek te morrelen.

'Sst,' siste mijn moeder terwijl ze de kerosinelamp uitblies. 'Ze kunnen onmogelijk weten dat we thuis zijn.' We kropen angstig bij elkaar.

Even later kwamen de mannen door het hek de tuin in. Ik hoorde hen over onze veranda sluipen. De milities waren bang te worden beschoten omdat veel burgers zich inmiddels hadden bewapend.

Mijn moeder schrok overeind en zei: 'Ik heb de voordeur vergeten af te sluiten.'

Ze kroop naar de deur en schoof de grendel ervoor. Er volgde een metalen klik. De mannen vuurden meteen een salvo van geweerschoten af. Waarschijnlijk dachten ze dat ze de klik van een geweerhendel hoorden. Ze schoten in de muren en door de ramen. We doken onder de bedden, maar omdat mijn vader zich niet goed kon bewegen, staken zijn benen nog onder het bed uit. Hij huilde bijna van de pijn. Toen hield het schieten op. De milities sloegen op de vlucht. Waarschijnlijk dachten ze dat we terugschoten, maar we hadden geen wapens. Alleen een beschermengel, denk ik. Terwijl de mannen op zoek gingen naar een makkelijker prooi, kropen we nog dichter tegen elkaar aan. Het was de afgrijselijkste nacht die we ooit meemaakten.

3

Toen de soldaten waren verdwenen, staarde ik in de duisternis voor me uit. Het was een maanloze nacht en we konden de olielampen niet aansteken uit angst dat het licht buiten te zien zou zijn. Mijn zusje snurkte en bewoog zich naast me op de vloer, zich nergens van bewust.

Geweerschoten in de verte hielden me waakzaam. Ik was bang dat de milities zouden terugkomen. Er hing een geur van buskruit in de lucht. Ik hoorde mannen schreeuwen. Telkens wanneer ik een koe in de achtertuin hoorde snuiven, dacht ik dat er iemand over de muur klom. Ik trok mijn buik in en duwde mijn schouders naar achter. Zo probeerde ik me zo dun mogelijk te maken. Eventuele kogels zouden rakelings over me heen scheren.

Hetzelfde doe ik nu op de catwalk; ik duw mijn schouders naar achter en maak me zo lang mogelijk. Was die houding in mijn kindertijd bedoeld om kogels te ontwijken, later deed ik er mijn voordeel mee toen ik in chique couture voor modebladen moest poseren.

Maar die nacht dacht ik niet aan Parijs, laat staan aan Londen, en wist ik al helemaal niet waar New York lag. Ik besefte nog niet eens dat ik zelf op het punt stond een vluchteling te worden.

Zowel de rebellen als de regering hadden hun zinnen gezet op het vliegveld van Wau, dus gingen ze eropaf met geweren, bommen, knuppels en alles wat maar als wapen kon dienen. Als wij tussen deze twee vuren terechtkwamen, zouden we allemaal vermoord worden. De milities waren het ergst van allemaal. Ze reden over de zandwegen terwijl Michael Jacksons 'Thriller' uit hun stereo schalde. Ze beroofden iedereen die hen voor de voeten liep. Ze stalen zelfs de pannen uit de keukens. Ze schoten mensen dood die op weg waren naar de markt en pakten hen het weinige geld af dat ze apart hadden gelegd om eten van te kopen. Veel militieleden waren zelf nog kinderen.

Terwijl ik tot de ochtend wakker lag, probeerde ik me de vechtende milities, soldaten en rebellen voor te stellen. Ik had al lijken op straat zien liggen, dus ik wist wat er gebeurde als er op iemand werd geschoten. Ik stelde het me zo voor dat ze elkaar beschoten, met messen staken en net zolang schopten totdat ze dood waren en wij vredig konden gaan slapen.

Maar ík kon de slaap niet vatten. Ik zweefde tussen gebed en fantasie, in een poging mezelf af te leiden van wat er buiten gebeurde. Ik dacht aan een foto uit een tijdschrift dat een buitenlandse hulpverlener op school had achtergelaten. Op de foto stond een okerkleurig huis in een dennenbos aan de kust, ver weg van Afrika. De eetkamer had hoge, glazen ramen en de tafel was gedekt voor een uitgebreide maaltijd. In het midden van de tafel stond een vaas met zonnebloemen. Alles was in een zachtgeel licht gehuld en straalde harmonie uit. Ik vroeg me af of mensen echt zo leefden of dat het alleen maar fantasie was.

Ik werd opgeschrikt door het schrille geluid van katjoesjaraketten. Stel je voor dat er een raket dwars door ons dak in onze kamer terechtkwam? Ik moest plassen maar hield het op. Hoewel ik pijn aan mijn blaas kreeg, zette ik geen stap buiten de deur na wat er een paar nachten daarvoor met mijn vader was gebeurd. Er werden nog meer katjoesja's afgeschoten, dichterbij deze keer, en ik zweer dat de grond trilde toen ze explodeerden. Daarna viel er een doodse stilte, die nog angstaanjagender was dan het geluid van de raketten. Ik wist zeker dat we zouden sterven.

Toch was ik zo moe dat ik ergens tussen die laatste gedachte en het moment dat de hanen begonnen te kraaien in slaap ben gevallen. Toen ik wakker werd, hing er een lijkengeur in de lucht. Ik moest bijna overgeven. Op dat moment kwam mijn moeder de kamer binnen.

'Alek, wat lig je te dromen? Het is tijd om op te staan,' zei ze. Ze klapte in haar handen boven onze hoofden, waarmee ze wilde zeggen: 'Opschieten, meisjes!'

Ik deed de deur open en stapte het prille ochtendlicht tegemoet. Even zag de wereld er paradijselijk uit. De bananenboom van de buren ruiste in de wind en een palmboom tekende zich scherp af tegen de opkomende zon. Mijn moeders koeien stonden zoals altijd in een rij te wachten totdat ze naar het weilandje gebracht zouden worden.

Intussen schoof mijn vader heen en weer in zijn eenpersoonsbed en nam uitgebreid de tijd om op te staan. Hij was pas in de veertig, maar hij bewoog als een oude man. Een hele nacht op de harde vloer liggen was funest voor zijn heup, maar hij gaf geen kik toen hij zich langzaam oprichtte. Hij rekte zich alleen maar uit en zei goedemorgen en zette de radio aan. Normaal luisterde hij naar de BBC, maar soms schakelde hij 's middags door naar de rebellenzender. Hij zette het geluid heel zachtjes uit angst door de regeringssoldaten te worden opgepakt. Mijn familie liet zich niet echt met politiek in. Omdat de rebellen van de SPLA, net als wij, uit het zuiden kwamen en voor het merendeel Dinka waren, behandelden ze ons over het algemeen vrij behoorlijk. Hoewel mijn ouders hen waarschijnlijk diep in hun hart steunden, hadden we als gezin met elkaar afgesproken iedereen met een geweer te mijden. Partij kiezen had weinig zin.

Op de radio hoorden we dat de inwoners van Wau werd aangeraden te vluchten. De situatie was te gevaarlijk.

'Alsof wij dat nog niet in de gaten hadden,' zei mijn moeder.

Ik hield de zoom van mijn jurk vast alsof ik mezelf wilde beschermen en stapte voorzichtig samen met mijn zusje de tuin in. Alles leek rustig, dus we liepen naar de poort en keken naar buiten. Er liepen al mensen met hun bezittingen op hun hoofd over straat. De exodus was begonnen. Toen wenkte mijn zusje me en wees op de kogelgaten die het hout van onze met zink bedekte poort had versplinterd.

'Mama, kijk eens!' riepen we.

Mijn moeder kwam kijken en schudde haar hoofd. Vervolgens wees ze ons op een gat in de grond waar een van de militieleden zijn geweer had laten rusten. 'Bajonet,' was het enige wat ze zei.

We gingen weer naar binnen, waar mijn ouders enige tijd overleg met elkaar pleegden. Zo ging dat altijd. Ze bespraken de dingen en kwamen tot een gemeenschappelijk standpunt. Mijn ouders communiceerden heel goed met elkaar en gingen samen de ontberingen in hun leven te lijf. Zó herinner ik me hen en die herinnering koester ik.

Op een gegeven moment hoorde ik mijn moeder zeggen: 'Nu is de maat vol. Ik kan er niet meer tegen.' Toen ze zag dat ik stond af te luisteren, dempte ze haar stem. Even later was het gesprek ten einde en wendde mijn vader zich tot ons. Zijn huid was bleek, maar zijn ogen schitterden.

'We gaan vandaag nog op weg naar de dorpen. Het is hier niet langer veilig voor ons.'

Aan de toon van zijn stem hoorden we dat hij het meende.

Mijn ouders hadden hun hele jeugd oorlogen meegemaakt.

Sinds de Britse kolonialisten Soedan in 1956 onafhankelijk hadden verklaard, werd het land bestuurd door militaire, pro-islamitische regeringen, en dat terwijl Soedan van oudsher diverse stammen en religies herbergt. Een regime met een gemeenschappelijk draagvlak was lastig te realiseren. Toen mijn ouders opgroeiden, en zelfs nadat ze een gezin hadden gesticht, moesten ze regelmatig vluchten naar buurlanden, zoals Congo, Oeganda, de Centraal Afrikaanse Republiek en Liberia.

Mijn ouders hadden dus al eerder met dit bijltje gehakt. Nu moesten ze weer op de vlucht. Als ze er verdriet om hadden, toonden ze dat niet.

De dorpen waar mijn ouders en hun uitgebreide families vandaan kwamen, lagen ten zuiden van Wau, ver van de hoofdwegen. Daar leefden de mensen nog op de ouderwetse manier, in ronde, lemen hutten zonder stromend water. Ze verbouwden hun voedsel zelf. In het droogteseizoen trokken de jongeren met het vee naar een oase ver van het dorp en vestigden zich daar waar het vee kon grazen. Er was geen telefoon, dus we konden onze familie niet vragen hoe de situatie op het platteland was. Mijn ouders gingen ervan uit dat we in een van de dorpen veilig zouden zijn. Maar garanties hadden ze niet, dus we moesten er op goed geluk heen lopen.

Ik was nog nooit zo ver in de wildernis geweest en ik had geen idee wat ons te wachten stond. Ik had wel gehoord dat het er soms vreemd aan toe kon gaan. In Wau hadden we een paar keer een stel neven op bezoek gehad. Ze droegen zelfgemaakte kleren, en soms hadden ze vlooien en luizen en vroegen ons dan om die uit hun haren te pikken. Ze werden door al mijn vrienden geplaagd. Mijn tantes zaten in bed met hun schoenen aan, waardoor de dekens smerig werden. Dat vonden we erg raar. Maar mijn vader zei dat ze dat thuis ook deden. Daar sliepen ze op stromatrassen in plaats van bedden.

Vijf jaar later, toen ik naar Engeland ging, ondervond ik aan den lijve hoe verkeerd het is om mensen te veroordelen vanwege hun achtergrond. Ik werd zelf namelijk ook verkeerd beoordeeld. In Wau behoorde ik tot een goed opgeleide, beschaafde familie, maar in Londen werd ik door iedereen bekeken als een primitief boerenmeisje.

In hun ogen was ik niet anders dan mijn neven uit de dorpen. Ik was een onbeschaafde Afrikaanse, wier huid zwarter was dan de nacht. Zij behoorden tot de tweede of derde generatie immigranten, hadden een lichtere huid en wisten hoe het er in Londen toe ging. Toen al besefte ik dat het allemaal relatief is, en dat je anderen niet mag veroordelen omdat ze een andere achtergrond hebben of er een ander standpunt op nahouden. Ik had er spijt van dat ik destijds zo kritisch ten opzichte van mijn neven was geweest. Op dat moment had ik er alles voor over om hun vriendelijke gezichten te kunnen zien. Ik had een lange weg moeten afleggen om tot dat besef te komen.

Na een haastig kopje thee begon mijn moeder 'in te pakken' voor de tocht. Ze haalde geen koffers uit de kast, zoals ik tegenwoordig doe. Ze gaf ons evenmin de opdracht ons ondergoed op te vouwen, drie setjes kleren klaar te leggen of onze toiletspullen te verzamelen. Nee, niets van dat alles. In plaats daarvan legde ze dekens op de grond, die om onze spullen heen gewikkeld werden. Ze zei me welke pan ik uit de keuken moest halen. We namen een mes, een paar kopjes en een jerrycan water mee. Bestek hadden we niet nodig, want we zouden allemaal op de Dinkamanier met onze vingers eten. Mijn moeder nam ook gedroogde okra mee om onderweg klaar te maken, want we zouden nergens voedsel kunnen krijgen. Voorzichtig strooide ze zout in een zak, dat ze bij het koken kon gebruiken of onderweg kon verhandelen. Zout was veel waard. Buiten de stad had bijna niemand zout. We legden alles in de dekens die als onze koffers dienden.

Als ik tegenwoordig op reis ga, heb ik een huishoudelijke hulp, roomservice, laundry service en een kamermeisje tot mijn beschikking. Toen hadden we niets, behalve ons gezonde verstand. Maar toch wisten mijn ouders ons een veilig gevoel te geven. Het was aan hen te danken dat we ons op ons gemak voelden. Dat bewijst maar weer eens dat het allemaal tussen je oren zit.

Die ochtend had ik mijn mooiste jurk aangetrokken, een katoenen bloemetjesjurk met een elastieken band in de taille die we op de markt hadden gekocht. Die eenvoudige jurk en een paar slippers waren het enige wat ik droeg. Niemand van ons nam een extra stel kleren mee, laat staan regenkleding of persoonlijke bezittingen.

Voordat we konden vertrekken, moest mijn moeder afscheid nemen van haar koeien. In zekere zin waren dat haar kinderen. Ze hadden allemaal een naam en ze kon ze in de verte al aan hun kop herkennen. In de Dinkacultuur neemt het vee een belangrijke plaats in. Het maakt deel uit van onze identiteit. Volgens een van onze legendes gaf God, toen hij de Dinka schiep, ons de keuze tussen het hebben van vee of een mysterieus, onbekend iets dat Hij 'wat' noemde. De Dinka kozen voor het vee, het symbool voor welvaart en waardigheid. Dat gaf de Dinka een sterk zelfbeeld, dat van generatie op generatie werd doorgegeven. Ik ben me ervan bewust dat ik daardoor positief ben gebleven ondanks alle ontberingen die ik in mijn leven heb moeten doorstaan. Als Dinkavrouw ben ik er altijd trots op geweest dat mijn voorouders voor het vee hebben gekozen boven het 'wat'.

Nu veel Dinka naar het buitenland zijn getrokken, is onze cultuur langzaam aan het veranderen. We zien een soort welvaart – variërend van het degelijke waterleidingsysteem in Londen tot de sportwagens van beroemdheden – die we in Zuid-Soedan nooit hebben gekend. Daardoor beseffen we dat het leven volgens onze oude gebruiken niet per definitie zaligmakend is. Maar toch proberen we onze cultuur intact te houden. Voor mij en andere Soedanese emigranten heeft het vee nog steeds een symbolische betekenis, hoewel het niet echt praktisch is om koeien te houden in onze nieuwe huizen in Londen, New York en Sydney, ver van Afrika.

Als ik denk aan alles wat er door de oorlog is verwoest en veranderd, put ik inspiratie uit een citaat van Ariathdit, een Dinkaprofeet uit het begin van de twintigste eeuw. Rond de eeuwwisseling werd hij wegens opruiing gevangengenomen door Britse kolonialisten die de macht over het land overnamen. Toen ze hem vrijlieten, zie hij: '*Piny nhom abi riak mac.*' Dat betekent: 'Het land is beroofd, maar de cultuur blijft bestaan.' Tijdens de burgeroorlog is er veel vernietigd, maar de Dinkacultuur zal nooit verloren gaan.

Zo dacht mijn moeder er ook altijd over. Daarom had ze bij voorbaat al iemand geregeld die haar kudde naar het platteland zou drijven, indien we ooit zouden moeten vluchten. Ook al dreigde alles om ons heen te veranderen, ze moest en zou onze familiecultuur in stand houden. Op het platteland zouden onze koeien nog goed van pas komen. Ze gaven melk en als het nodig was, konden we er een verkopen. Afgezien daarvan gaven de koeien ons een gevoel van eigenwaarde en een spirituele verbinding met het verleden.

Op de ochtend van ons vertrek kon mijn moeder in alle rust afscheid nemen van haar koeien omdat ze wist dat ze ze spoedig zou weerzien. Hoewel we voor de avond viel zo ver mogelijk van het geweld verwijderd wilden zijn, sprak ze elke koe met zachte stem toe. De een krabde ze op haar kop en de andere kreeg een aai, maar alle koeien gaf ze het gevoel dat het allemaal in orde zou komen. Ik zweer dat de koeien op hun beurt haar begrijpende blikken toewierpen. Als ik er niet zo zeker van was dat mijn moeder meer van mij hield dan van haar koeien, zou ik jaloers zijn geweest. Ik denk niet dat ze ooit uit Wau weg had kunnen gaan als ze er niet van overtuigd was geweest dat er voor haar dieren werd gezorgd en dat ze ze spoedig weer zou zien.

Toen we de poort in de voortuin achter ons dichtsloegen, was ik ineens bedroefd dat we ons huis moesten achterlaten. Wij, de kinderen, waren toen nog erg jong. Ik was pas negen. Mayen, de grapjas van de familie, was achttien. Adaw, die zich echt als mijn oudere zus gedroeg, was veertien. Akuol van twaalf was heel lief, gevoelig en serieus. Met haar had ik een hechte band. Athieng was zeven. Zij was typisch het jongere zusje dat tegen me opkeek. En dan hadden we Deng, die met zijn vier jaar de benjamin van de familie was, de kleine prins. De drie oudsten waren al het huis uit.

Het was een zware tocht. Om de zoveel tijd droegen we iets, hoe klein ook, op ons hoofd. Zelfs Deng begreep dat wanneer wij hém niet konden dragen hij zelf ook een bundeltje moest dragen. We hadden geen keuze en ook al waren we nog zo jong, we snapten dat we waarschijnlijk vermoord zouden worden als we in Wau bleven.

Ik droeg een van de kleinere bundels balancerend op mijn hoofd en ging met de rest van mijn familie op weg. Door sommige mensen werden we wel eens het Wek-leger genoemd, omdat we met zoveel waren. Juist daarom hadden we zo'n sterke band en ging het ons zo goed; samen met mijn ouders, broers en zussen vormden we een kleine gemeenschap.

Het was warm die ochtend. De mist loste snel op. Op straat liepen al veel andere mensen die ook hun huizen ontvlucht waren. Op de hoofdweg die Wau uit voerde, liep een rij inwoners de stad uit. Het leek op beelden die je wel eens op de televisie ziet. Een paar jaar geleden zat ik in de eersteklaslounge van het JFK-vliegveld te wachten op een vlucht naar Parijs, toen ik op CNN beelden zag van mensen die hun huizen in Sierra Leone ontvluchtten. Een lange rij donkere mensen, moeders met kinderen aan hun hand, vaders met bundels op hun hoofd. Sommigen hadden sandalen aan hun voeten, maar het merendeel liep blootsvoets over de stoffige weg. Toen ik om me heen keek naar de goed geklede, weldoorvoede mensen die in hun mobieltjes zaten te praten of op knopjes van hun elektronische apparatuur drukten, voelde ik me plotseling heel erg eenzaam. In veel opzichten voelde ik me meer verbonden met de vluchtelingen in hun afgedragen kleren dan met de bevoorrechte internationale reizigers tot wier klasse ik in zekere zin was gaan behoren.

Die ochtend in Wau behoorde ik dus zelf tot die vluchtelingen. Ik was negen jaar oud en op weg naar de bush, naar een wereld die ik nooit eerder had gezien. Op straat bevonden zich allerlei soorten mensen: moslimvrouwen gehuld in donkerrode, blauwe en groene shawls; Nubische mannen in lange witte gewaden; christenen in Amerikaanse afdankertjes van de markt. Maar de meesten waren Dinka, net als wij, die zich naar de zuidelijk gelegen grens met Congo en Zaïre begaven. We waren op weg naar het Dinka-territorium, waar onze voorouders gedurende vele generaties hun vee hadden gehoed.

Naarmate de kilometers verstreken, dunde de groep vluchtelingen langzaam uit. Sommigen sloegen af in de richting van het land van hun voorouders en tegen de tijd dat we bij de oude brouwerij kwamen, die dit deel van het land van bier voorzag, werd de tocht minder enerverend. De brouwerij lag op een stuk land vlak bij de rivier Jur, en jaren geleden had mijn moeder daar een stuk grond gepacht om pinda's op te verbouwen, die het goed doen op de zandgrond. Het geld dat ze met de verkoop van pinda's verdiende besteedde ze aan haar familie. Mijn ouders kenden de bedrijfsleider en maakten een praatje met hem. Het was een grote, gitzwarte man, en in mijn herinnering was hij erg vriendelijk tegen mijn ouders.

'Ga jij hier niet weg?' vroeg mijn vader aan hem.

'Dat gaat niet,' antwoordde hij. 'Ik kan de brouwerij niet achterlaten.'

Mijn moeder schudde haar hoofd. 'Maak je zelf niets wijs,' zei mijn moeder. 'Een brouwerij is uiteindelijk niet meer dan een paar stenen en bier.'

'Nou, voor stenen waag ik mijn leven niet, maar voor bier – dat is een ander verhaal.'

Hij was buitengewoon opgewekt, ondanks alle ellende. Voordat we verdergingen, vertelde hij mijn vader welk pad we het beste konden volgen. Als we eenmaal de rivier over waren, zei hij, moesten we de wegen vermijden want daar wemelde het van de gewapende mannen, zowel rebellen als milities.

'Blijf in de bush,' zei hij. 'Je kunt niemand vertrouwen.'

Iets voorbij de brouwerij veranderde het grasland aan weerszijden van de weg in moeras, met hoge rietplanten die zich uitstrekten zover het oog reikte. Hier en daar stond een enkele boom – dergelijk landschap had ik nog nooit gezien. Algauw bereikten we de rivier Jur. Omdat we midden in het regenseizoen zaten, was de rivier zo breed dat ik de oever aan de overkant niet kon zien. De stroom herbergde enorme gevaren. Iedereen wist dat het op bepaalde plekken krioelde van de krokodillen, nijlpaarden en andere dieren. Mijn vader verzekerde ons er echter van dat er hier geen dieren zaten. Ik had op de markt wel eens de enorme vissen gezien die hier gevangen werden en ook die hoefde ik niet van dichtbij te zien. Sommige mannen hadden hun boomstamkano op de oever getrokken en er stonden ruim twintig mensen te wachten om te worden overgezet. Ik zag nog een tiental van die kano's op het water deinen, zwaarbeladen met vluchtelingen en hun bezittingen, inclusief kippen, geiten en zakken met graan. Ik was bang, want ik had nog nooit van mijn leven gezwommen.

Eigenlijk heb ik pas een paar jaar geleden, op mijn zevenentwintigste, zwemmen geleerd. Ik zat op een jacht van een vriend iets buiten de kust van Sardinië en keek uit over de prachtige zee. 'Ja,' zei ik. 'Nu wil ik leren zwemmen.' Ik was op vakantie, omringd door luxe, en toch was mijn eerste gedachte dat ik wilde leren zwemmen voor het geval ik weer een rivier zou moeten oversteken. Een van mijn vrienden gaf me zwemles. De eerste keer dat ik het probeerde, zonk ik als een baksteen. Ik was doodsbang, maar toch probeerde ik het nog een keer. Het was zo fijn en tegelijk zo frustrerend. Maar ik hield vol, en een paar dagen later dreef ik op mijn rug in de zee. Het gaf me een geweldig gevoel – pure vrijheid. In zekere zin gaf het me het gevoel dat ik die rivier in Soedan had bedwongen, althans in gedachten.

Die dag had ik echter dat gevoel helemaal niet. Ik zat in de val. Ik wist dat ik zou gaan verdrinken.

'Ik ga niet,' zei ik tegen mijn moeder.

Haar gezicht verstrakte en ze keek me met half geloken ogen aan. Hoe koppig ik ook was, tegen die blik was ik niet opgewassen.

'Als je in leven wilt blijven, moet je in die boot stappen.'

Met mijn zusjes en broertjes stapte ik in een van de kano's. De bootsman was bang en wierp telkens nerveus een blik op de oever om te zien of er zich gewapende mannen schuilhielden. Niemand wist of er zou worden geschoten. Ik zat voorin, met mijn rug tegen die van mijn zusje, omringd door onze spullen. Toen we van wal staken, wiebelde de boot en schreeuwde ik: 'Help!' Mijn moeder zei alleen maar: 'Alek, stil.' Ik pakte de zijkanten van de primitieve boot zo stevig vast dat het me verbaasde dat ze niet doorbraken. Gelukkig was het water kalm die dag.

Terwijl we de rivier overstaken, zagen we stroomopwaarts een in goede staat verkerende brug, maar de regeringstroepen hadden de brug afgesloten om de rebellen op afstand te houden. Toen we de overkant hadden bereikt, klom ik uit de kano en begon te lopen.

Het pad voerde door hoge riethalmen, waardoor je niet meer dan een paar meter voor je uit kon kijken. Het was een tunnel van heldergroen gras en de bodem was drassig. Mijn slippers bleven steeds aan de wortels van het riet hangen, maar mijn moeder dreef me met zachte drang voort.

In de namiddag liepen we door een woud van struiken en riethalmen. Voor hetzelfde geld liepen we steeds hetzelfde rondje, want de ene struik leek precies op de andere. Om zich te oriënteren ging mijn moeder af op de stand van de zon en het type struik dat ze herkende aan het blad. Als kind had ze geleerd welke soorten planten in bepaalde gebieden groeien. Ondanks alle problemen had ze er plezier in om door de bush te lopen.

'Mijn kindertijd komt helemaal terug,' zei ze.

In plaats van zich te gedragen als een moeder van negen kinderen die het zwaar te verduren heeft, probeerde ze haar kennis op ons over te dragen. Haar goede humeur werkte aanstekelijk.

We hadden die ochtend nog niets gehad behalve een kop thee en we kregen honger. Mijn moeder zag vlakbij een bosje pompoenbladeren en stuurde mij erheen om ze te plukken.

'Weet je nog, Alek?' zei ze. 'Die kochten we op de markt.'

Ik wist het nog goed. Ik herinnerde me de stoofschotel die ze ervan kookte, en alleen al de gedachte deed me het water in de mond lopen. Af en toe stopten we om *tamalaca*-planten, okra en een vrucht, genaamd *amaco ding*, te plukken. Ik had zo'n honger dat ik alles ter plekke had kunnen opeten.

Plotseling bleef mijn moeder stokstijf staan. Nog geen vijftig meter van ons vandaan stonden enkele gewapende SPLA-rebellen. Ik kon zien dat ze nerveus was want haar blik werd ijzig. Dat maakte me bang. De mannen hadden ons al gezien en kwamen naar ons toe.

'Niets zeggen,' zei mijn moeder tegen ons.

Mijn vader was op honderd meter van ons vandaan en kwam langzaam met Deng en Athieng aangelopen. Hij kon ons dus niet helpen.

Mijn moeder perste haar lippen op elkaar. Ze had een vastberaden uitdrukking op haar gezicht. Volgens mij zagen de mannen dat er met haar niet te spotten viel. Ze waren koel en zakelijk en bekeken ons van top tot teen. Hun blik bleef hangen op onze zakken graan en pannen. Ik stond te trillen op mijn benen.

'Komen jullie uit Wau?' vroeg een van de rebellen.

Hoewel hij er haveloos uitzag in zijn T-shirt, broek en sportschoenen, leek hij me de aanvoerder.

Mijn moeder antwoordde dat we op weg waren naar de dorpen. De rebel gromde wat en staarde ons aan. Volgens mij zaten we in de problemen.

Maar ineens verraste mijn moeder hem met een brede glimlach die zijn norse gezicht deed smelten.

'Heb je soms iets nodig?' vroeg ze.

De rebel keek haar lange tijd aan waardoor ik dacht dat hij inderdaad heel veel kon gebruiken, meer dan wij hem konden geven. Hij wilde geweren, voedsel, kleren, vrachtauto's en radio's. Hij wilde dat de regering niet langer probeerde hun de islam op te leggen. Hij wilde vrijheid voor alle mensen in Soedan.

'Wat heb je?' vroeg hij.

'Zeep,' zei mijn moeder. 'Ik kan je een stuk zeep geven.'

Hij knikte. Hij had zo weinig dat een stuk zeep goed genoeg was. Dachten de rebellen nu echt dat ze op deze manier de regering omver konden werpen? Deze mannen hadden een paar kogels maar geen voedsel.

Mijn vader kwam erbij staan en na een kort moment van spanning schudden de mannen elkaar de hand. De andere rebellen keken toe. Mijn ouders spraken even met de aanvoerder en gebaarden naar het pad. Het leek alsof ze advies kregen over de route. De rebellen verdwenen even geruisloos in het riet als ze waren verschenen. Vervolgens riepen mijn ouders ons bij zich en zeiden dat we uiteindelijk toch niet naar het dorp van mijn vader zouden gaan. Van de rebellen hadden ze gehoord dat er op die route regeringstroepen op de loer lagen. In plaats daarvan zouden we naar een ander dorp gaan, waar verre familie van mijn vader woonde.

'We kennen ze niet, maar ze zullen ons gastvrij ontvangen,' verzekerde mijn vader ons. 'We zullen er een goed leven hebben.'

Ik had mijn twijfels, maar zei niets. Ik had nu al het gevoel dat we de kans op een goed leven in Wau hadden laten liggen, maar er zat niets anders op dan verder te gaan.

Na nog een tijdje gelopen te hebben, kwamen we bij een verlaten hut waar we de nacht konden doorbrengen.

'Dieren mijden een plek waar mensen hebben gewoond,' zei mijn vader.

We braken niet in, want dat zou niet correct zijn. In plaats daarvan veegden we met bladeren de grond voor de hut schoon zodat de bodem vlak was. Vervolgens legden we onze dekens op de grond, terwijl mijn moeder met een dikke stok op de grond sloeg om de wilde dieren in het gebied te laten weten dat er mensen waren en dat ze maar beter uit de buurt konden blijven.

'En slangen dan?' vroeg ik.

Ik ben doodsbang voor slangen. Altijd al geweest.

'Slangen lusten onze kleine Alek niet,' zei mijn vader.

'En leeuwen?' vroeg ik.

'Leeuwen willen een dik meisje en geen magere spriet zoals jij,' zei hij. 'Nu we hier toch zijn, blijven we hier ook slapen.'

Hij had gelijk. Waar moesten we anders heen?

Mijn moeder stuurde de kinderen de bush in om sprokkelhout en gras te zoeken zodat we een vuur konden maken. Ze zei dat degene die het meeste hout kon vinden, gewonnen had. Zo probeerde ze er ondanks de barre omstandigheden steeds een spelletje van te maken, zodat het leek alsof er niets aan de hand was. We ontdekten een meertje, waar we water haalden. Mijn moeder stoofde de groente, strooide er wat zout over en kookte een beetje graan als bijgerecht. Ze bracht het water aan de kook en gaf het ons te drinken. We gingen op de grond zitten en aten met onze vingers van de emaille bloemetjesborden die mijn moeder had meegenomen. Die borden maakten de maaltijd nog smakelijker. Het is verbazingwekkend hoeveel een beetje beschaving kan betekenen onder primitieve omstandigheden.

We hadden zo'n honger dat het eten ons beter smaakte dan welke maaltijd we ooit hadden gehad. Maar we waren snel klaar want er was niet veel. Ik was gewend aan kleine porties dus mij kon het niet veel schelen. Tot op de dag van vandaag eet ik nooit grote porties en ik kan geen eten verloren zien gaan. Dat komt allemaal door de periode die ik in de bush heb doorgebracht, toen we altijd nét genoeg hadden. Ik leerde met hoe weinig middelen je kunt overleven. Ik weet ook dat je het allemaal in een fractie van een seconde kwijt kunt raken. Het is goed om dat in je achterhoofd te houden. Om die reden laat ik niets verloren gaan, geen voedsel, geen vriendschappen, geen kansen.

Toen de zon onderging bij ons kleine kampement, was ik meer dan blij mijn familie bij me te hebben. Ze betekenden alles voor me. We hadden geen huis, geen woonplaats, geen regering. Het enige wat we hadden was elkaar, onze dekens en de sterren aan de hemel. Elektrisch licht was in geen velden of wegen te bekennen en de sterren schenen helderder dan ik ze ooit had zien schijnen. Het was ongelooflijk om in de open lucht in de bush in slaap te vallen, maar later die donkere nacht werd ik wakker van ritselende bladeren vlakbij en begon mijn hart te bonzen. Milities? Rebellen? Soldaten? Ik stelde me voor dat ze ons met hun geweren omsingelden, klaar om te schieten. Net voordat ik mijn moeder wakker wilde maken, vloog een grote vogel op uit de struiken. Ik liet haar slapen.

Toen de zon opkwam, gaf mijn moeder ons een kopje water om de dag mee te beginnen. Dat was 't. Ik hoopte dat we onderweg vruchten zouden vinden of misschien wat wortels om op te kauwen, maar anders zouden we tot de avond niets meer te eten krijgen. We pakten onze spullen en gingen dwars door de bush op weg. Soms volgden we een veespoor of een een pad dat door mensen was gebaand, maar meestal liepen we gewoon dwars door het gras.

Algauw bereikten we de jungle. Het was warm en we kwamen slechts langzaam vooruit. Het zonlicht door de bomen vormde spikkels op de bodem, maar desondanks hadden we het gevoel alsof we door een glibberige, groene grot liepen en de vochtigheid hing als een zware deken over ons heen. Mijn zweet trok vliegen aan, die bloed uit me zogen, wat nog meer vliegen aantrok. Het was een uitzichtloos gevecht. Dikke zwermen muskieten dansten om me heen. Ik sloeg ze van mijn gezicht en nek, maar zodra ik er een kwijt was, verscheen de volgende alweer. Het was vreselijk. De hele dag trokken we door de jungle. De volgende dag weer. Op de gladde boomwortels en in de modder bewezen mijn slippers me geen enkele dienst en het scherpe gras sneed in mijn voetzolen.

De vierde dag was ik totaal verslapt van de honger. Na acht of negen uur lopen was een bescheiden avondmaaltijd van bladeren en wortels niet voldoende. Maar we trokken verder door de jungle. Mijn maag voelde pijnlijk aan alsof hij binnenstebuiten werd gekeerd. Gelukkig ontdekte mijn moeder een boom waaraan vruchten hingen.

'Kinderen, kijk!' riep ze opgewonden.

Ze plukte een paar vruchten en brak ze open, zodat we allemaal een stuk konden krijgen.

'Dit is een *amurok*.'

De vrucht smaakte zoet en toen ik een stuk doorslikte, trok er een aangename sensatie door mijn lichaam. Vanaf dat moment zagen we deze vrucht overal hangen.

Jaren later, toen ik twee weken in Londen was, gaf een van mijn klasgenoten, een Schots meisje met een bleke huid en rood haar, me een rode appel. Ik had nog nooit zo'n vrucht gezien. Hij glom en was keihard. Ik beet erin en de smaak bracht me direct terug in de jungle. Hij smaakte precies zoals amurok.

De volgende nacht stopten we weer bij een verlaten hut om ons kamp op te slaan. Zoals gebruikelijk gingen we naast elkaar in het gras liggen en legde de dekens over ons heen. Mijn moeder en vader lagen aan de buitenkant en de kinderen in het midden. Ineens bewoog er iets in het bos. Ik hoorde vogels fluiten en kikkers kwaken. Het was een hels kabaal. Het volgende moment hoorde ik geritsel tussen de bladeren en het eerste waaraan ik dacht was een leeuw.

'Zo kunnen we toch niet slapen,' zei ik tegen mijn moeder.

'Luister, Alek. Deze geluiden heb ik als kind altijd gehoord,' zei ze.

'En je leeft nog steeds,' zei ik. 'Je bent niet opgegeten.'

'Godzijdank niet,' zei ze. 'Beschouw het maar als een nieuwe, plezierige ervaring waarvan je alleen maar sterker wordt.'

Terwijl we daar onder de blote hemel lagen, wees mijn vader ons op de sterren boven ons. Plotseling voelde ik me veilig met al mijn broers en zussen om me heen en ik dacht: het is waar, het leven is prachtig. Op een of andere manier wisten mijn ouders me altijd gerust te stellen.

Maar mijn vreugde duurde niet lang. Midden in de nacht werd ik wakker van regendruppels op mijn voorhoofd. Algauw stortregende het en was ik doorweekt. Ik voelde me bijna als een kikker. Ik viel weer in slaap, maar werd tegen de ochtend verkleumd en kletsnat wakker. Het regende nog steeds. Ik streek mijn bloemetjesjurk glad en trok mijn slippers aan. Ik veegde het water uit mijn gezicht, poetste mijn tanden met een stokje en ging weer op pad met mijn familie. Ik had honger en hoopte dat we iets eetbaars zouden vinden. Soms streek ik met mijn hand over mijn buik om de pijn te verlichten. Die herinnering maakt me nu, bij-na twintig jaar later, bijna aan het huilen.

Maar mijn moeder, als rasechte optimist, zag als altijd de positie-ve kant. Ze zei dat we ons nu niet hoefden te wassen. Ze zong gekke liedjes, maakte grapjes, verzon spelletjes en vertelde ons over vroeger toen ze zelf een kind was. We hadden ons huis moeten ontvluchten, we wisten niet precies hoe we op onze bestemming moesten komen en of daar wel mensen waren om ons te ontvan-gen, maar toch wist zij haar goede humeur te bewaren.

'Wees blij dat we geen gewapende mannen meer zien,' zei ze. 'Of bommen en raketten. Of vliegtuigen en helikopters.'

Zo liepen we twee weken lang door de jungle. Overdag maakten we plezier, 's avonds sliepen we rammelend van de honger buiten in de regen totdat we op een dag vee zagen grazen en een oude man op ons af zagen komen. 'We zijn er,' zei mijn vader. Ik kon het bijna niet geloven. Ik was zo blij dat onze tocht eindelijk voorbij was. Ik kon het dorp al zien, waar de verre familie van mijn vader woonde. Toen ik de rij kleine ronde hutten, gemaakt van stro en modder, zag, voelde ik een steek van teleurstelling. Ons huis in Wau was reusachtig vergeleken bij deze hutjes. Het leven in het dorp zou wel eens heel anders kunnen zijn dan in Wau. Die ge-dachte maakte me verdrietig en bang tegelijk.

Het volgende moment kwamen er allerlei mensen op ons afge-rend. Waar zijn we in vredesnaam terechtgekomen, was mijn eer-ste gedachte. Ineens stonden er twintig kinderen om ons heen. 'Welkom,' riepen ze. 'Welkom! Waar komen jullie vandaan?' Mis-schien zou het hier toch best leuk kunnen worden, dacht ik.

Maar die gedachte hield niet lang stand.

'Stadskinderen, stadskinderen,' zeiden ze. 'We eten jullie levend op.' Ze lachten uitgelaten. Ik snapte echt niet wat er zo grappig was.

Vanaf dat moment droomde ik van weggaan. Hoe eerder hoe

liever, wat mij betrof. Maar ik was pas negen. Ik begreep niet wat oorlog betekende. Ik begreep niet hoe goed het leven in het dorp was vergeleken bij het geweld in de stad.

Mayen, mijn moeder, Ajok, mijn vader, Wek en Athian.

Boven: Mijn zus Ajok en haar man Anik tijdens hun bruiloft in Wau in 1982.

Links: Mijn broer Deng en mijn neefje Lual zijn in hetzelfde jaar geboren. Mijn moeder poseert met haar kleinzoon (links) en haar zoon (rechts).

Mijn broertje, zusjes en ik poseren bij een fotograaf, vlak voordat mijn vader overleed. Van links naar rechts: Deng, ik, Adaw, Athieng en Akuol.

Mijn broer Athian op een brug in Khartoem.

De achtertuin van ons huis in Wau.

Op deze foto ben ik 16 jaar
en sta ik in mijn mooiste
kleding op het speelplaatsje
achter ons huis.

Begin jaren '90 bij mijn zus Ajok thuis in
Londen, met haar kinderen
Awut, Tong en Lual en mijn broertje
Deng en zus Athieng.

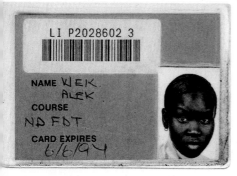

Mijn collegekaart
in 1994.

Dit ben ik met een aantal vrouwen van mijn neven en met Amel, de vrouw die mijn moeder heeft opgevoed nadat haar eigen moeder overleed.

De vier vrouwen om mij heen zijn getrouwd met een van mijn ooms.

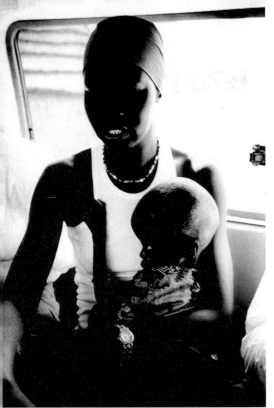

Een moeder gaf haar kindje aan mij om haar naar een voedingscentrum in El Tonj te brengen, waar dokters haar leven hebben gered. Ik heb veel verschrikkingen meegemaakt, maar nog nooit zo veel kinderen zien lijden aan ondervoeding. Het was overweldigend. Toen pas realiseerde ik me hoe mijn land geleden heeft onder de oorlog.

Deze vrouwen werken in het voedingscentrum in El Tonj dat gerund wordt door Artsen zonder Grenzen. De meesten van hen zijn, net als ik, Dinkavrouwen.

Mijn eerste agente, Mora, en ik bij de grens tussen Soedan en Kenia in 2001.

Mora is gek op kinderen en vond het heerlijk in dit Dinkadorp. De kinderen hadden, als gevolg van de oorlog, in geen tijden een vreemdeling gezien en bleven maar in het Arabisch 'zout, zout, zout' naar ons roepen. Er bleek een groot tekort aan zout te zijn in de dorpen, helaas konden wij hen niet helpen.

Mijn moeder op de bank in haar flat in Londen in 2003.

Dit is het dorp van mijn moeder, dat we in 2005 bezochten.

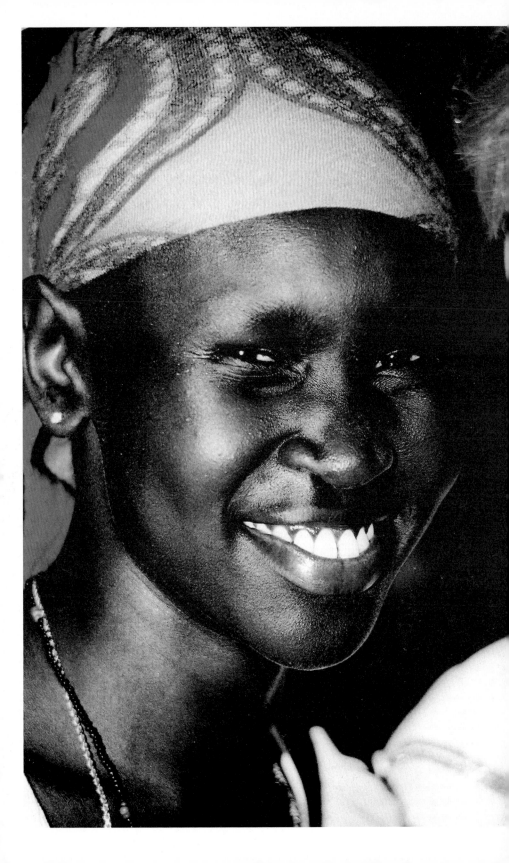

4

We zaten onder een grote boom aan de rand van het dorp en gaven een kalebas met bronwater aan elkaar door. Het water smaakte zo vers en zuiver dat de modderpoelen en dorst van onze reis ineens ver weg leken. De dorpelingen verzamelden zich om ons heen en staarden naar ons terwijl de dorpsoudsten nieuws uitwisselden met mijn vader en moeder. Mijn broers, zussen en ik staarden zwijgend terug. In het dorp liep bijna iedereen op blote voeten en het merendeel van de vrouwen droeg slechts een bontgekleurde doek om hun middel en geen bovenstukje. Sommige mannen waren gekleed in een beige lange broek en een tuniek, maar de meesten waren bijna bloot. Ook hadden ze bijna allemaal een speer in hun hand, om mee te jagen of hun vijanden te bevechten, of misschien wel om ons angst aan te jagen – wie zal het zeggen. De kinderen, van wie er een paar helemaal naakt waren op een laagje modder en vuil na, dromden om ons heen en hielden elkaars hand vast terwijl ze ons bekeken alsof we buitenaardse wezens waren. Waarschijnlijk dachten ze echt dat we van een andere planeet kwamen, met onze teenslippers en katoenen jurken.

De dorpelingen waren niet gewend aan mensen uit de stad. In Soedan is het verschil tussen het leven in de stad en het leven op het platteland groot. In de dorpen lijkt de tijd een eeuw te hebben stilgestaan. Niet dat het een beter is dan het ander, maar het verschil valt niet te ontkennen. Mijn ouders fungeerden als tussenpersonen tussen beide werelden.

Ik keek om me heen en nam het dorp in me op. Het schaduwrijke plekje waar we zaten werd omringd door velden vol droge stoppelresten van de laatste gierstoogst, waartussen de groene scheuten van het jonge gewas alweer opstaken. In een nabijgelegen kraal stonden runderen met lange horens en overal liepen dieren los door het dorp. Ik zag een grote, uit leem opgetrokken veeschuur met een puntig dak van gevlochten gras. Daarachter lagen aan rode zandpaadjes rijtjes ronde huisjes met soortgelijke daken. De deuren in de huisjes waren zo laag dat je er alleen gebukt door naar binnen kon.

Alles was handgemaakt en zag er oud en vies uit, met hier en daar vochtplekken van zweet en regen. Boven de kookvuren steeg rook op die als grijze rivieren boven het landschap leek samen te vloeien. En overal het geloei van koeien. Maar ik voelde me opgelucht dat ik veilig was, en na twee weken lopen en nauwelijks te eten, stierf ik van de honger.

Een tante van mijn vader leidde ons over een paadje naar een groepje van vier kleine hutten. Toen ze de deur van ons tijdelijke thuis opende, gluurde ik naar binnen. Ik zag een zandvloer, lemen muren en een strodak. Meer niet. Omdat er licht door de spleten tussen het strodak en de muren scheen, kon je goed zien hoe vies alles was. Hier moesten we met ons achten in slapen. Ik was dankbaar maar tegelijk teleurgesteld en begreep dat ons leven er niet makkelijker op zou worden. Ik voelde me schuldig om mijn verwende reactie. Per slot van rekening was dit beter dan wat we hadden achtergelaten. Ik zei niets.

Die avond schaarden we ons met onze familie rond het vuur voor het avondeten. Een groep dorpskinderen klitte op korte afstand bij elkaar en keek toe terwijl wij in het zand gingen zitten. Het water liep me in de mond bij de gedachte aan het geroosterde vlees en de groentestoofpot die we te eten zouden krijgen, samen met *adung,* een warm graangerecht. Ik had in geen weken geroosterd vlees geroken en mijn maag schreeuwde bijna om eten. Eén kind, een jongetje met kort haar en lichte ogen en slechts gekleed in een broek, kon zijn grote, opengesperde ogen niet van me afhouden. Toen ik een gezicht naar hem trok zette hij nog grotere ogen op. Ik keek even weg, maar toen ik weer keek, stond hij me nog altijd aan te staren. Uit zijn neus drupte snot.

'Wat is er?' vroeg ik aan de jongen. 'Waarom blijf je me zo aanstaren?'

De neven en nichten van mijn vader staakten hun bezigheden en keken me beschuldigend aan.

'Zo praat een meisje niet,' zei mijn vaders neef. Hij had kleine littekens op zijn voorhoofd en zware ringen door zijn oorlellen. Ik was bang voor hem.

'Maar hij blijft me…' begon ik weer.

'Hou je mond,' zei hij.

Mijn vader wierp me een blik toe die zei: Alek, in een dorp gaat het er anders aan toe.

Ze haalden de stoofschotel van het vuur. We gingen om de pot zitten en toen het mijn beurt was, haalde ik er een stuk vlees uit. Wat een teleurstelling. Het zag er vies uit, heel anders dan wat mijn moeder altijd kookte. Ik nam een hap maar moest bijna kokhalzen. Toen ik beter keek zag ik dat er nog resten van wormen en insecten in het vlees zaten.

'Dit krijg ik niet weg,' fluisterde ik tegen mijn moeder. 'Het is vies.'

'Dat weet ik, Alek, maar dat kun je niet zeggen. Hou je mond. We zijn net hier!'

Ik schaamde me. Ik had me niet gerealiseerd dat kinderen niets te zeggen hebben in een dorp. En zeker niet als het over voedsel gaat. Je eet wat de pot schaft.

'Neem nog wat, Alek, je bent zo mager,' zei een van de vrouwen. Ik wilde het niet eten. Maar ik nam nog een hap van het gedroogde rundvlees en slikte het met wormen en al door.

'Je overleeft het niet als je zo mager bent,' zei de vrouw lachend.

Ik glimlachte en probeerde niet te laten merken dat ik bijna moest overgeven.

'Eet, eet,' zei de vrouw.

Die nacht sliep ik op een deken, opgerold in de armen van mijn zus. Ondanks de wormen in mijn maag had ik een voldaan gevoel. Als ik geen honger wilde lijden, zou ik me moeten aanpassen aan het dorpsleven.

De volgende ochtend liep ik de bush in om gebruik te maken van het toilet van Moeder Natuur. Toen ik terugkeerde, stond mijn moeder met een twee meter lange stamper graan te malen in een grote houten vijzel. Ze tilde de zware stamper telkens met twee handen op en beukte hem vervolgens op het graan.

'Wat is dat?' vroeg ik.

'Er is hier geen meel, dus je moet het zelf maken.'

Ik besefte dat we die dag geen thee als ontbijt zouden krijgen. Ik dronk een beker water en begon de hut aan te vegen met een bosje stro dat was samengebonden met gevlochten bladeren.

'Maar mama, we zijn gisteren net aangekomen,' zei ik. 'Mogen we niet even uitrusten?'

'Dit is een dorp, meisje. Hier moet gewerkt worden.'

Ik keek haar somber aan.

'Je raakt er wel aan gewend.'

Het werk ging door. Mijn zus maalde later op de dag nog meer graan tot meel. Ik verzamelde de okra die we van een dorpeling hadden gekregen en spreidde het uit in de zon om het te laten drogen.

Een man uit Wau had de koeien van mijn moeder afgeleverd in het dorp en ze was al om vier uur in de ochtend opgestaan om ze te melken. De melk ging direct vanuit de uier in een kalebas met een lange hals. Nu schudde ze de room telkens heen en weer om er boter van te maken, waarna de boter zou worden ingekookt tot *ghee*, die gebruikt zou worden om mee te koken. Vervolgens maakte ze van een deel van de melk kaas en werd de rest van de melk apart gezet om er yoghurt van te maken. Mijn moeder vroeg aan mijn zus en mij of we de verse mest wilden verzamelen en uitspreiden in de zon, zodat we 's avonds gedroogde mest konden verbranden om de insecten op afstand te houden.

We werkten de hele ochtend door om alles klaar te krijgen voor het avondeten. Al die tijd kregen we niets te eten. Ik ontdekte dat de dorpelingen maar één keer per dag aten, tenzij er in de bush wat fruit of noten werden gevonden. Wij kinderen gingen vaak de bush in op zoek naar iets eetbaars. De kinderen uit het dorp hielpen ons vaak met het vinden van de goede exemplaren, maar bleven de spot drijven met ons accent. Of met de manier waarop we keken. Of met onze kleren. Ze vonden ons erg lachwekkend.

'Alek, wil je naar de waterput gaan?' vroeg mijn moeder tegen het eind van de middag.

Ik liep het pad af naar de put. Een oude buurvrouw staarde me vanaf haar kruk na terwijl ik langsliep. Haar metalen halsketting leek haar kin omhoog te duwen en hoewel haar gezicht onbeweeglijk bleef, meende ik een zweem van een glimlach in haar ogen te zien. Ze had iets zeer indrukwekkends over zich.

Ik vond de waterput achter de veeschuur. Als ik niet goed had opgelet, was ik erin gevallen. Het was een perfect rond gat van zo'n twee meter doorsnee. Aan de rand waren de sporen van de stokken en de spaden waarmee hij was gegraven nog goed te zien. Over het gat lagen kruiselings twee planken. Ik keek in de put en probeerde me voor te stellen dat ik de man was die de metersdie-

69

pe put had gegraven. Zonder hulp van anderen kwam je er onmogelijk weer uit.

Mijn moeder had me een lege jerrycan meegegeven om er het water in terug naar de hut dragen. In Wau hadden we een pomp en hoefde ik de jerrycan alleen maar onder de pomp te houden en de hendel te bewegen. Bij deze put was het veel moeilijker. Ik moest op de houten planken gaan staan en de emmer in de put laten vallen; de emmer was met een touw aan de planken vastgebonden, zodat het touw niet met de emmer in de put zou vallen. Maar hoe kreeg ik de emmer omhoog zonder in de put te vallen? Ik werd al duizelig als ik alleen al aan de rand van de put stond, dus het scheelde niet veel of ik had me omgedraaid en was naar huis gelopen. Maar ik kon niet zonder water bij mijn moeder aan komen. Toevallig kwamen er op dat moment net een paar kinderen uit het dorp aangelopen.

'Val er maar niet in, stadsmeisje.'

'Je bent een bangerik, *nya, nya.*'

Ik bloosde van schaamte.

'Wat is er met je gezicht?' vroeg een van hen, een lang meisje van een jaar of twaalf. Ze doelde op mijn psoriasis. Ik gaf geen antwoord.

'Je weet niet hoe het moet, hè?' zei ze.

Ik schudde mijn hoofd. Ik was bang voor haar. En voor de put.

'Ik help je wel even,' zei ze vriendelijk.

Toen glimlachte ze en ik had het gevoel dat ze mijn leven redde. De andere kinderen bonden in en hielpen me de jerrycan te vullen. Op dat moment voelde ik me eindelijk een beetje thuis in het dorp. Ik tilde het water op mijn hoofd en liep glimlachend terug naar onze hut. Toen ik langs de oude vrouw met de halsketting kwam, keek ze op en groette me door even haar hand op te steken.

Ze zag er koninklijk uit met al haar sieraden. De Dinka hebben nauwelijks een traditie op het gebied van representatieve kunst – ze hebben nooit op canvas of papier, en zelfs niet op stenen of hout geschilderd. In plaats daarvan versieren ze hun lichaam met verf, littekens, kralenkettingen, schoudervullingen en andere versieringen gemaakt van oesterschelpen, ivoor en metaal – zelfs kralen van Venetiaans glas, die lang geleden door Europese handelaren naar Soedan werden gebracht. De mannen konden soms echte dandy's zijn; sommigen droegen bij speciale gelegenheden zelfs strakke kralenkorsets. De oude vrouw op haar stoel was zo'n indrukwekkende vertegenwoordiger van onze cultuur dat ik me trots voelde. Ze had naar me gezwaaid! Ik voelde me niet langer een vreemde in het dorp.

In die tijd woonden er meer dan een miljoen Dinka in Zuid-Soedan. In de daaropvolgende jaren zijn er onnoemelijk veel mensen gevlucht of vermoord, zodat moeilijk te zeggen is hoeveel het er nog zijn. We zijn echter altijd de grootste groep in de regio geweest. Naar verluidt hebben de voorouders van de huidige Dinkastam als eersten gedomesticeerd vee vanuit Egypte naar gebieden ten zuiden van de Sahara gebracht, waar ze zich vestigden in de uiterwaarden van de Witte Nijl. Het huidige Dinkavolk heeft zich waarschijnlijk rond 1500 na Christus verenigd en gezamenlijk weerstand geboden tegen indringers, uiteenlopend van de Ottomaanse Turken in de negentiende eeuw tot de tegenstanders in de meest recente burgeroorlog.

De Dinka hebben niet altijd in dorpen gewoond. Sommige groepen, die soms wel honderd gezinnen telden, volgden hun vee, afhankelijk van het seizoen, van de weilanden naar de rivier. De vrouwen en de kinderen sliepen in tijdelijke hutten, de mannen in lemen hokken bij het vee. Vandaag de dag zijn de meeste dorpen permanente nederzettingen, hoewel sommige leden van de clan het vee, indien nodig, nog altijd naar de weilanden en de rivieren drijven.

In de Dinkataal noemen we onszelf de *Moingjaang*, ofwel 'de mensen van het volk'. Onze familiebanden zijn van vitaal belang. Zoals wij op hulp konden rekenen van mijn vaders verre verwanten toen we de oorlog in Wau ontvluchtten, zo weet elke Dinka dat zijn bloedverwanten er alles aan zullen doen om hem te helpen wanneer hij in nood is.

Afstamming van de clan wordt langs de mannelijke lijn bepaald – vrouwen worden door het huwelijk lid van de familie van hun man. Een man die geen zoon voortbrengt, zal nooit een voorvader worden en is gedoemd tot vergetelheid omdat hij geen afstammelingen heeft die zijn lijn kunnen voortzetten. Om dit te voorkomen geldt de regeling dat wanneer een jongen sterft voordat hij kan trouwen, zijn broer of een andere verwant in zijn naam een vrouw zal trouwen. Alle kinderen die uit die vrouw worden geboren, worden geacht kinderen van de overleden jongen te zijn. Hetzelfde gebeurt wanneer een man overlijdt voordat zijn vrouw kinderen heeft gebaard: zijn broer zal bij zijn vrouw kinderen verwekken, die zullen worden beschouwd als het nageslacht van de overleden man.

Het moge duidelijk zijn dat de mannen het voor het zeggen hadden in het dorp, althans dat dachten ze, zoals bijna overal ter wereld. Polygamie was normaal. Mijn vader heeft nooit meer dan één vrouw gehad, omdat mijn moeder en hij dachten dat dat niet zou werken, maar de meeste mannen hadden er twee of drie, vooral in de dorpen. Sommige stamleiders hadden enkele honderden vrouwen, wat een teken van rijkdom was, omdat een man vee moet schenken om een vrouw te kunnen kopen. Om inteelt te vermijden, zien Dinka er streng op toe dat er niet binnen de eigen clan met elkaar wordt getrouwd.

Meisjes wordt op jonge leeftijd geleerd om buiten boven een vuur te koken. Ik was geen uitzondering. In de dorpen bestaat het basisvoedsel uit gierstpap, melk, groenten en kruiden. Mannen vissen en jagen op wild, zoals herten en krokodillen, maar vis en vlees maken geen deel uit van ons dagelijks menu. We aten in het dorp alleen vlees wanneer een koe een natuurlijke dood stierf of ceremonieel geofferd werd. Dinka doden zelden een koe om het vlees en vinden het onhygiënisch en ongezond om een dier te eten dat dood wordt aangetroffen in het bos of langs de kant van de weg.

Op het platteland zijn het traditiegetrouw de vrouwen die gewassen planten en verzorgen, zoals pinda's, graan, bonen en maïs, terwijl de mannen voor het vee zorgen. Koeien zijn erg belangrijk in onze cultuur, zozeer zelfs dat een man een soort verliefdheid voor een koe kan opvatten, het dier een koosnaam geeft en er liedjes voor zingt. De Dinkaman 'trouwt' met zijn koe, hoewel de band vooral spiritueel en symbolisch is in plaats van aards.

Op een dag gelastten de dorpsoudsten een groep van tien- tot zestienjarige jongens uit de omgeving hun hoofd kaal te scheren. Diezelfde nacht werden de jongens bij elkaar geroepen om traditionele liederen te zingen en stamverhalen te vertellen. Ik schat dat het in totaal om zo'n vijftig jongens en mannen ging. Sommige mannen droegen kralenkorsets en kilts van geweven koeienstaarten. Het merendeel droeg een speer of een lange tak met bladeren aan het uiteinde. Weer anderen sloegen op een trom die was gemaakt van een door vuur uitgeholde boomstronk.

Ik hoorde ze de hele avond zingen. In de liederen werden dorpsverhalen bezongen, zoals waar de dorpelingen vandaan kwamen en welke Dinkaleden belangrijke dingen hadden gedaan. Aangezien Dinka niet over pen en papier beschikken, wordt de geschiedenis van hun volk via liederen van generatie op generatie doorgegeven. Na een poos raakten de jongens in trance of vielen zittend in slaap. Zo brachten ze de nacht door.

Tegen het ochtendgloren brachten de ouders de jongens naar

een open plek in het bos waar ze in kleermakerszit plaatsnamen. Een van de dorpsoudsten bracht vervolgens een vlijmscherp mes naar het voorhoofd van de jongen die het eerst aan de beurt was en maakte er ragfijne sneetjes in terwijl de jongen de namen van zijn voorouders uitriep. Hoewel het bloed over zijn gezicht stroomde, gaf hij geen kik. Als hij zou huilen zou hij voor lafaard worden uitgemaakt. Bovendien zou het mes kunnen uitschieten, en een slordig litteken hem zijn hele leven tekenen als een slappeling. Hij was nu een man, klaar om het vee te hoeden, te jagen en het dorp tegen indringers te verdedigen. Na de ceremonie verbonden de vaders van de jongens de wonden met grote bladeren.

Toen ik deze geïnitieerde mannen zag, wier bloed in het zand drupte, voelde ik me zowel misselijk als trots. Mijn vader had dezelfde littekens. Ik keek naar mijn moeder en voor het eerst in mijn leven begreep ik wat de littekens te betekenen hadden. Maar onmiddellijk daarop raakte ik paniek: stel dat ik ook van die insnijdingen in mijn gezicht zou krijgen? Oudere Dinkavrouwen hadden vaak rituele littekens. Mijn tante had me verteld dat ze ooit in het zand moest hurken en door een man werd vastgehouden die onderwijl haar gezicht met een mes bewerkte.

Mijn angst was terecht. Toen ik een paar maanden in het dorp woonde, vonden de oudere vrouwen dat het mijn beurt was. Ik werd helemaal hysterisch. Gelukkig stak mijn moeder er een stokje voor. Mijn ouders wilden dat hun dochters zouden slagen in de moderne wereld en met littekens zouden we voor altijd zijn gebrandmerkt als buitenstaanders. Dus ondanks de verontwaardiging van de dorpsoudsten, weigerden ze toestemming te geven om mijn gezicht met een mes te bewerken. Godzijdank.

Vreemd genoeg was het bij ons thuis niet mijn vader maar mijn moeder die bezeten was van koeien en erop toezag dat ze goed werden verzorgd. Hoewel mijn vader in een dorp was opgegroeid en alles van koeien afwist, was hij een moderne man die liever met een aktetas naar kantoor liep dan met een speer de bush in ging. Bovendien liep hij moeilijk vanwege zijn slechte heup. Het kan niet anders of de dorpelingen vonden ons een raar gezin.

Mijn moeders naam, Akuol, betekent in de Dinkataal 'kalebas'. Een toepasselijke naam, want kalebassen zijn ongelooflijk handig en belangrijk op het platteland. Ze worden gedroogd en voor van alles gebruikt, van opdienschalen tot voorraadpotten. Als ze breken, worden ze weer aan elkaar genaaid. Ze gaan oneindig lang mee.

In het dorp was mijn moeder even nuttig als een kalebas. Ze kreeg veel voor elkaar en haar vlijt wekte de jaloezie van andere dorpelingen op. Zelfs haar koeien werden benijd. Ik herinner me dat een van de gezinnen met een scheef oog naar haar beste stier keek, die groot en sterk was en uitermate geschikt om mee te fokken. Mijn moeder liet haar koeien door deze stier dekken, wat waardevolle kalveren opleverde. Op een ochtend leidde een herder zijn koeien langs de kleine kudde van mijn moeder, maar hij bleef net iets te lang rondhangen. Wat bleek? Hij wilde dat mijn moeders stier zijn koe zou dekken – gratis dus. Mijn moeder maakte hem duidelijk dat hij haar stier alleen mocht gebruiken als hij ervoor betaalde. De man liep door.

Op een andere ochtend werd ik door mijn moeder wakker geschud.

'Alek, wakker worden. Er is een koe aan het kalveren. We moeten haar helpen.'

Ik rende met haar mee de hut uit. Iets verderop stond de koe te kreunen, alsof ze elk moment in elkaar kon zakken. Haar tong hing uit haar bek en ze zag er zo wanhopig uit dat ik begon te huilen.

'Alek, daar hebben we nu geen tijd voor. Kom, hou haar vast.'

Ik sloeg mijn armen om de nek van de koe om haar overeind te houden terwijl mijn moeder achter haar ging staan.

'Goed zo, Alek, zorg dat ze niet omvalt.'

Ik stapte met mijn blote voeten in een warme, plakkerige plas bloed. Mijn moeder praatte tegen haar koe.

'Goed zo, goed zo.'

Mijn moeder was dol op die koe. Ze stak haar arm in haar en pakte het kalf, dat in een stuitligging lag, voorzichtig bij zijn achterpoten. De koe staarde me met een lege koeienblik aan, maar het kon niet anders of ze had het zwaar.

'Rechtop blijven staan,' beval ik haar.

Ze was verrassend rustig.

'Daar komt ie,' zei mijn moeder.

Met een verkrampt gezicht trok ze het kalf er aan de poten uit. Toen het op de grond neerkwam, zakte de koe bijna door haar voorpoten. Ze kreunde en begon te hijgen. Het kalf leefde en was gezond, met prachtige grijze vlekken.

Een halfuur later probeerde het kalf bij haar moeder te drinken.

'Je hebt goed geholpen, Alek,' zei mijn moeder.

Als ik ergens van genoot, was het van complimentjes van mijn moeder.

Van Dinka wordt verwacht dat ze zich eerbaar en waardig gedragen. Op de buitenwereld komt onze fiere houding – borst vooruit, kin in de lucht – misschien een beetje arrogant over, maar dat zijn we niet; we gaan graag op vriendelijke en respectvolle wijze met anderen om, en vooral met mede-Dinka. Van Dinka wordt verwacht dat ze tijd vrijmaken voor elkaar, elkaar hoffelijk ontvangen en een maaltijd aanbieden. Wanneer er problemen zijn binnen de gemeenschap, komt men bijeen in openbare vergaderingen waar de leider de meningsverschillen aanhoort en de zaak beslecht.

Traditiegetrouw had elk dorp een sterke leider die de 'speermeester' werd genoemd en zijn wijsheid en kracht ontving van geesten. De Britse kolonisten hebben deze praktijk vergeefs proberen uit te roeien, omdat ze bang waren dat dergelijke sterke figuren hun koloniale beleid zouden verstoren. Hoewel de stamleiders tegenwoordig minder respect genieten, heeft de speermeester in veel dorpen nog altijd veel invloed. En ook al komen de Dinka langzaamaan steeds vaker in aanraking met de moderne wereld, in de vorm van trucks, bushpiloten, die hun leven riskeren met het vervoeren van mensen en goederen naar afgelegen delen van Afrika, of een enkele toerist of wetenschapper, hun cultuur is zeer traditioneel gebleven. Het dorp waarin wij woonden had bijvoorbeeld geen elektriciteit en stromend water. Ik herinner me een paar messen en pannen, maar geen radio's – noch de mogelijkheid om radiosignalen op te vangen – of elektrisch licht. Zelfs kaarsen en lantarens waren schaars. Het enige licht dat we er hadden, kwam van de sterren en de maan.

Hoewel ik zelf niet religieus ben, gelooft mijn volk in een god die Nhialac heet en die al het leven heeft geschapen. We communiceren met hem via geesten en rituelen rond geboorte, sterfte, ziekte of crisis. Soms worden er koeien geofferd aan Yath en Jak, de voornaamste tussenpersonen tussen ons en Nhialac. Hoewel de Dinka zich altijd hebben verzet tegen de islam, hebben christelijke missionarissen veel succes geboekt. Tegenwoordig beschouwt een op de twaalf Dinka zichzelf christelijk. De meeste christenen, onder wie mijn moeder, oefenen echter nog altijd de traditionele Dinkarituelen uit. Eens een Dinka, altijd een Dinka.

We hebben geen heilige geschriften en ook geen regels die wekelijks terugkerende rituelen voorschrijven. Onze spiritualiteit is vloeiender, we maken geen onderscheid tussen de realiteit en het bovennatuurlijke. Vooral de Dinka op het platteland staan via de band met hun koeien en de natuur voortdurend in contact met de spirituele wereld die bevolkt wordt door voorouders die het dagelijks leven van hun afstammelingen actief beïnvloeden. Hun geesten leven in bomen, mensen, dieren en voorwerpen, zoals maskers, en fungeren als tussenpersoon tot onze god. Bij positieve gebeurtenissen, zoals een regenbui in het droogteseizoen, vereren de Dinka de geest die de regen reguleert. We kunnen God vereren maar we kunnen hem niets vragen, omdat we in vergelijking met hem slechts nietige stipjes in het heelal zijn.

Daarnaast geloven de Dinka dat sommige mensen krachten kunnen erven die hen tot tovenaar of heks maken en waarmee ze mensen die hun pad kruisen kwaad kunnen doen. Om deze lieden op te sporen en hun eventuele betovering te verbreken, bezoeken Dinka waarzeggers.

Toen ik op een hete ochtend naar buiten ging om de tuin aan te vegen, verkeerde het dorp in grote staat van opwinding. Zelfs de vogels gingen tekeer. Die middag zou een gerespecteerde stamoudste worden begraven en de mannen troffen voorbereidingen voor het offeren van een koe.

Later die dag verzamelden we ons rond het familiegraf van de overleden man, een mooi afgewerkte maar primitieve sculptuur van leem en stro van ongeveer twee meter hoog. Een paar mannen brachten een grote witte koe mee, die ze met beide horens vastbonden aan een paal in de grond. Het arme dier probeerde zich vergeefs los te rukken. Vervolgens schonk een van de mannen melk over de paal, waarna de anderen onder het uitspreken van bezweringen de hals van de koe doorsneden met een visspeer. Het bloed gulpte in scharlakenrode golven uit de wond. Ik schrok er zo van dat ik mijn eigen bloed in mijn aderen voelde stollen en steun moest zoeken aan de arm van mijn moeder. Het volgende moment viel de koe voorover op zijn knieën, zakte door zijn achterpoten en viel toen om. Iedereen om me heen glimlachte. Ik begreep er niets van. Waarom moest die koe dood? Ik besefte dat de dorpskinderen gelijk hadden: ik was een buitenaards wezen. Er waren zoveel dingen die ik niet begreep.

Ik ging terug naar onze hut en vertelde Athieng en mijn broertje Deng wat ik had gezien. Ze wilden er meteen heen om het bloed te zien, maar ik hield hen tegen.

Hoewel ik mijn ouders altijd best streng had gevonden, leerde het dorpsleven me dat ik het erg makkelijk had gehad in Wau. Als kind zei ik altijd meteen wat ik op mijn hart had. Ik ben van nature vrij kalm maar als me iets niet zint dan uit ik dat. Vooral toen ik jong was had ik daar een handje van. Mijn ouders respecteerden onze mening zolang wij hun gezag respecteerden. In het dorp verbaasden de volwassenen zich er echter over dat we überhaupt een mening hadden, laat staan dat we die uitten. Vooral van een meisje verwachtte men geen tegenspraak. Elke man, en zelfs jongens, dacht dat hij de baas over een vrouw kon spelen. Als je niet naar ze luisterde, kon je een klap krijgen. Ze sloegen niet echt hard maar lieten je duidelijk voelen wat ze van je wilden.

Het probleem was dat mijn ouders mij anders hadden opgevoed. Mijn vader behandelde mijn moeder met respect en was nooit gewelddadig tegen haar. Ik begreep niet waarom mannen in het dorp dachten dat ze een meisje konden slaan, of sterker nog, haar midden in de nacht konden ontvoeren om met haar te trouwen. Maar zolang ze genoeg stuks vee voor haar betaalden kon dat dus. Het gebeurde zelfs vaak. Als een meisje zich verzette, schoot niemand haar te hulp. De vrouwen waren slavinnen.

Het leven in de Afrikaanse bush wordt vaak geromantiseerd. Ik moet toegeven dat het leven in de dorpen veel mooie kanten heeft, maar voor vrouwen kan het ook keihard zijn. Dat geldt voor heel Afrika.

Tegen het einde van het regenseizoen werd het 's nachts vreselijk warm. Op een nacht was het in onze lemen hut zelfs zo verstikkend heet dat we ons beddengoed naar buiten sleepten. Kennelijk was de rest van het dorp op hetzelfde idee gekomen, want in het flauwe maanlicht ontwaarde ik overal silhouetten van slapende mensen voor de hutten.

'Moeder, stel dat er leeuwen komen?' vroeg ik.

'Sst,' reageerde ze vermoeid.

'Een leeuw bijt je zo doormidden, Alek. Dus kijk maar uit,' zei mijn oudere broer.

'Echt waar?'

'Maak je zusje niet bang. Als je zo doorgaat, gebeurt het nog ook. Alleen eet hij dan niet Alek maar jou op.'

Na die woorden werden zijn ogen groot van angst. We lagen in het donker te luisteren naar de geluiden. Een tak knapte en een vogel vloog met klapwiekende vleugels uit een boom. Ik hoorde iets bewegen in de bosjes. Of was het de wind?

'Vader?' zei ik.

'Je hoeft niet bang te zijn,' zei mijn vader. 'Leeuwen komen nooit dicht bij een dorp. Daar zijn ze te slim voor. Ze willen niet graag eindigen als mantel van een dorpsoudste.'

Al snel viel ik op het ritme van de ademhaling van mijn zus in slaap.

Midden in de nacht werd ik wakker van een angstaanjagend geritsel in mijn oor. Ik sloeg er met mijn hand naar maar dat maakte het alleen maar erger. Ik sprong gillend overeind.

Er zat een insect in mijn oor. Toen ik weer gilde werden mijn ouders wakker. Ik wrong me in allerlei bochten terwijl ik tegen mijn oor bleef slaan om het insect te verjagen.

'Moeder!' gilde ik.

'Wat is er, Alek? Wees stil. Je maakt het hele dorp wakker.'

En dat gebeurde dus. Vanaf een groepje hutten aan de andere kant van het pad klonk een mannenstem: 'Kan het verdomme wat zachter, ik probeer te slapen.'

'Ze heeft een insect in haar oor,' riep mijn zus terug.

'Nou en?'

'Dat vindt ze eng.'

'Wees niet zo brutaal,' schreeuwde hij. 'Ik probeer te slapen.'

De mannen in het dorp waren narrige, onredelijke mensen. Heel anders dan mijn vader, die naar me toe kwam om me te troosten. 'Stil maar, lieverd,' zei hij.

Een paar kinderen kwamen me uitlachen en wezen naar me. Ik was zo overstuur dat ik begon te huilen.

'Stil!' beval de man.

Het insect bewoog in mijn oor – weer gilde ik.

De man stormde met een tak op me af en wilde me slaan.

'Laat dat!' zei mijn vader.

'Dat maak ik zelf wel uit,' reageerde de man en haalde naar me uit. Gelukkig miste hij.

Mijn vader hinkte naar ons toe. Hij was niet in staat om te vechten, maar hield voet bij stuk.

De kinderen lachten terwijl ik alles bij elkaar gilde.

'Help me!' riep ik uit.

'Je moet gewoon wachten totdat hij eruit kruipt,' zeiden de kinderen.

Dat vond ik zó gemeen.

Toen sloeg de buurman me, telkens weer, totdat mijn vader hem kon tegenhouden. Ik sprong op en rende met mijn hand tegen mijn oor de bush in.

'Je wordt vertrapt door olifanten!' riep een van de kinderen me na.

'Kijk maar uit voor slangen!' riep een ander.

Hoewel het pikdonker was in de bush, zag ik in mijn angst overal oplichtende leeuwenogen. Ik bleef maar rennen. Ik struikelde en viel in het zand, maar krabbelde overeind en rende verder. Uiteindelijk bleef ik diep in de bush staan en keek om me heen. Niets. Ik was helemaal alleen. Ik wilde dat ik thuis in Wau in bed lag en mijn moeder me voor het slapengaan een verhaaltje vertelde.

Ik besefte dat de dorpelingen gelijk hadden. Het insect moest er zelf uit kruipen. Ik maakte van een mug een olifant. Ik bleef zitten waar ik zat terwijl het insect tekeerging in mijn oor en keerde tegen zonsopgang terug naar het dorp. Mijn familie lag nog voor onze hut op de grond te slapen. Ik maakte vuur en ging bij hen zitten wachten totdat iedereen wakker was. Niemand begon over mijn oor, of over het feit dat ik de nacht had doorgebracht in de bush.

In de loop van de middag verdween het geluid uit mijn oor. Ik was minder opgelucht dan ik bang was geweest. Het insect zelf heb ik niet gezien, dus ik weet niet wat het is geweest. De nachten daarna sliep ik met mijn ene oor op mijn matje en met mijn arm over het andere oor geslagen. Verlangend naar de betonnen muren en het zinken dak van ons huis in Wau, viel ik slaap.

Ik weet dat de problemen die ik als kind in het dorp had, kinderspel waren vergeleken bij de moeilijkheden waarmee mijn ouders en andere volwassenen te kampen hadden. Het insect was immers maar een insect, en zó lang zat hij nu ook weer niet in mijn oor. Op het platteland heb ik veel van mijn ouders geleerd. Ze hielden ondanks alle tegenslagen hoop op een betere toekomst en konden dankzij dit optimisme veel ellende doorstaan. Menigeen zou in hun situatie boos en opstandig hebben gereageerd, of aan de drank of drugs zijn geraakt. Zo niet mijn ouders, en daar prijs ik mezelf gelukkig om. Ik denk dat hun positieve houding voor een belangrijk deel te danken is aan onze sterke Dinkacultuur, maar dat het ook te maken heeft met hun levensopvatting en optimistische karakter. Ze zagen de positieve kant van onze ontberingen; ze ontkenden ze niet, probeerden de ellende niet te verhullen, maar lieten ons leven er ook niet door beheersen. We hadden als gezin altijd het gevoel dat ons niets kon gebeuren zolang we elkaar hadden. Ik denk dat het dat was: we gaven elkaar hoop. Als je niets hebt, is het zeer inspirerend te hopen dat het morgen beter wordt. Die waardevolle les hebben mijn ouders me meegegeven.

Naarmate de weken verstreken, werd het aangeboren optimisme van mijn ouders echter steeds zwaarder op de proef gesteld. Terwijl we bleven hopen op het einde van de oorlog, ging het steeds slechter met mijn vaders heup. Op een ochtend kwam ik de hut binnen en trof ik hem in foetushouding op zijn deken aan. Hij had een vreemde blik in zijn ogen.

'Help me even overeind, kind,' zei hij.

Hij was ineens een andere man, afstandelijk, angstig, wanhopig.

Ik riep mijn broer en samen hielpen we onze vader overeind. Hij moest naar het toilet, zodat we samen met hem de bush in liepen. Elke stap was voor hem een kwelling. In de bush wuifde hij me weg omdat hij privacy wilde. Ik draaide me om en verbeet mijn tranen. Ik kon het niet verdragen dat hij zoveel pijn leed.

Niet lang daarna kon hij bijna niet meer zitten of zich buigen zonder te vallen. Lopen ging langzaam en was erg pijnlijk. Waarschijnlijk had hij een infectie in zijn behandelde heup opgelopen, maar hij klaagde nooit.

Aan de rand van het dorp woonde een oude man in een hut. Ik had hem een paar keer gezien. Hij was erg lang en zijn lichaam was bedekt met een laagje wit stof. Soms dook hij ineens vanuit het niets op. Hij had zijn hoofd kaal geschoren, op een ruig bosje klithaar bovenop na. Onder het witte stof op zijn gezicht gingen zwarte lijnen van littekens schuil en hij droeg een halsketting van spierwitte botjes en indigokleurige kralen die waren afgewerkt met goud. Meestal rookte hij een lange koperen pijp met een stenen kop. Zijn bestofte gezicht was benig en streng en keek vanuit de hoogte op ons neer. Wij kinderen noemden hem de 'reuzengeest'. Hij sprak bijna nooit, maar als hij wat zei, was het met zachte, donkere stem.

Men zei dat hij een genezer was. Op een ochtend moest ik hem van mijn moeder gaan halen zodat hij mijn vader kon onderzoeken. Hij drukte zijn neus tegen mijn vaders heup, inhaleerde en trok zijn hoofd vervolgens met een ruk terug vanwege de geur van de infectie. Toen knikte hij naar mijn moeder en zei: 'Dokter. Hij moet naar een dokter.'

Daar zaten we dan. Ver verwijderd van het dichtstbijzijnde ziekenhuis en zonder enige hoop op het vinden van een chirurg. Van de medische zorg die mijn vader nodig had kon niemand zich in het dorp een voorstelling maken, laat staan dat ze iets dergelijks ooit hadden gezien. Maar zonder die medische hulp was hij ten dode opgeschreven.

5

Het regenseizoen was op zijn hoogtepunt, met elke middag en soms zelfs 's ochtends zware stortbuien. Tegelijk met de regen kwamen de muggen, die zich overal in het dorp in de plassen regenwater voortplantten. Om ze te verdrijven verbrandden we de mest en ik wreef mezelf in met de as, maar niets leek te werken. Ze zorgden niet alleen voor grote ergernis, maar brachten ook malaria en andere ziekten over. Niemand in het dorp beschikte over muskietengaas. Het was af en toe echt verschrikkelijk. Grote zwermen muggen die, net als wij, aan het eind van de dag uitgehongerd waren. Zodra wij hadden gegeten, sloegen zij toe. Elke avond als ik met mijn familie op een kluitje in de hut zat, moest ik de muggen van me afslaan. 's Ochtends zat ik onder de striemen en bloedsporen op de plekken waar ik ze had doodgemept. Dan verbrandden we nog meer mest totdat ze door de zon naar hun schuilplaatsen werden verdreven.

Hoewel mijn vader het ons niet liet merken, symboliseerden de muggen zijn onvermogen om zijn gezin te beschermen tegen de oorlog en het een veilige plek te bieden. Telkens wanneer er iets misging, nam hij alle schuld op zich. Hij wilde ons zo graag een beter leven bieden, terwijl hij zelf al genoeg problemen had. Hij had vreselijke last van zijn heup en wilde niets liever dan het dorp verlaten, maar we konden pas naar huis als de gevechten voorbij waren.

Omdat we geen radio hadden, grapten we wel eens dat mijn zus in Londen waarschijnlijk meer wist van het verloop van de burgeroorlog in Soedan dan wij. Elke vreemdeling die het dorp aandeed vroeg mijn moeder het hemd van het lijf. Meestal was het iemand uit een nabijgelegen dorp, die niet meer wist dan wijzelf, maar soms reisde er een hulpverlener, missionaris of handelaar door het dorp. Maandenlang kregen we alleen maar slecht nieuws te horen. In Wau duurde de strijd voort en de inwoners vluchtten nog steeds naar het platteland. Hoeveel pijn mijn vader ook leed, het zag ernaar uit dat we nog wel even in het dorp zouden moeten blijven. Maar in plaats van bij de pakken neer te gaan zitten, gingen mijn ouders aan de slag. Ze bouwden een hut zodat we er niet langer een hoefden te lenen. Mijn moeder ruilde haar kostbare zout voor riet en ander materiaal. We verzamelden stokken voor het skelet en mengden modder met stro en mest voor de muren. Stap voor stap begon ons nieuwe onderkomen vorm te krijgen.

Net toen we bezig waren het dak met riet te bedekken, verscheen er toevallig een textielhandelaar in het dorp. Het was een primitieve man, die niet tot de Dinkastam behoorde. Hij had een sluwe blik, roestkleurig haar en slechte manieren. Maar toen mijn moeder hem benaderde met vragen over de situatie in onze woonplaats, gaf hij beleefd antwoord. Hij zag dat mijn moeder serieus geïnteresseerd was. Hij vertelde dat hij pas nog door Wau was gekomen en dat bijna alles door de oorlog was verwoest, maar dat het merendeel van de milities zich nu had teruggetrokken en de strijd zo goed als gestreden was. Het vliegveld en een groot deel van de stad waren nu in handen van het regime.

Mijn ouders zaten daarna voor de hut en voerden een lang gesprek. Mijn kleine zusje en ik bespioneerden hen door een spleet
in de muur. We wilden het naadje van de kous weten, maar mijn
ouders spraken zo zacht dat we hen niet konden verstaan. Ze hadden zo hun eigen manier van naar elkaar luisteren. Als mijn moeder iets zei, keek mijn vader haar met een mengeling van bezorgdheid en opwinding aan. Als mijn vader iets zei, hield mijn moeder
hem bij zijn pols vast en luisterde ingespannen naar elk woord dat
hij zei.

'Ik zie je heus wel, Alek,' zei mijn moeder toen hun gesprek ten
einde was. Ze lachte. 'Kom allemaal maar naar buiten.'

Deng, Athieng en ik gingen op onze hurken voor onze ouders
zitten. Mayen, Adaw en Akuol bleven achter ons staan.

'Kinderen, binnenkort gaan we het dorp verlaten,' zei mijn vader.

'De roodharige textielhandelaar heeft ons het laatste nieuws
verteld,' zei mijn moeder. 'Hij is in Wau geweest en zegt dat de situatie er nu een stuk beter is.'

Niemand van ons zei iets. Van ons, kinderen, werd niet verwacht dat we op dit moment commentaar leverden, maar we
moeten heel blij hebben gekeken, want onze ouders glimlachten.

'Het zal niet makkelijk zijn, laat daar geen misverstand over bestaan,' zei mijn vader.

'We moeten naar huis, zodat jullie vader naar Khartoem kan
vliegen om zijn heup te laten opereren,' zei mijn moeder.

'Ik zal hem helpen,' zei Mayen.

'Ik ook,' zei Adaw.

'We helpen allemaal,' zei Akuol.

Het klonk allemaal zo mooi. Eenmaal thuis zouden we een manier bedenken om mijn vader op een vlucht naar Khartoem te
krijgen. Mijn oom, die arts was, zou hem in een ziekenhuis laten
opnemen. Mijn moeder zou hem samen met ons zo snel mogelijk

nareizen. Totdat de oorlog definitief voorbij was, zouden we in het relatief veilige Khartoem blijven.

We zouden naar school gaan. We zouden snoep krijgen! We zouden een fantastisch leven hebben. Ik was dolblij, maar tegelijkertijd maakte ik me zorgen om mijn vader. Hij kon slechts enkele stappen zetten zonder dat zijn gezicht van pijn vertrok. Het was vreselijk om hem zo te zien. Maar we konden niet in het dorp blijven en evenmin konden we mijn vader hier achterlaten.

Mijn moeder besloot een ezel te kopen die mijn vader zou kunnen vervoeren. Hoewel het in het dorp wemelde van de kippen en koeien, was er geen ezel te bekennen. De dorpelingen waren geen ezelmensen. Mijn moeder liep drie uur in de verzengende hitte naar een ander dorp, waar ze misschien een ezel kon kopen. Toen ze er aankwam, kreeg ze van iedereen hetzelfde te horen.

'Wat wil je? Waarvoor?'

Algauw bleek dat geen enkele stam in het gebied van ezels gebruikmaakte. Er was een man die vriendelijk reageerde toen mijn moeder uitlegde dat mijn vader nauwelijks kon lopen en we een tocht van tenminste twee weken voor de boeg hadden. Hij ging zelfs aan zijn vrienden vragen of zij misschien iets wisten, maar hij kwam hoofdschuddend terug en verontschuldigde zich.

'Het kost je vijf dagen lopen om bij de dichtstbijzijnde ezel te komen,' zei hij, wijzend in de tegenovergestelde richting van Wau.

Mijn moeder keerde onverrichter zake terug naar huis waar mijn vader haar met een somber gezicht opwachtte.

Een week nadat de textielhandelaar was vertrokken maakte mijn moeder een speciaal ontbijt klaar, bestaande uit een kop thee en wat gekookte gierst.

'Vandaag vertrekken we,' kondigde mijn vader aan.

We pakten onze spullen in onze dekens, rolden onze stromat op en gingen op weg. Zonder veel ophef liepen we de bush in.

Binnen een uur was mijn vader al niet meer in staat zijn ene been voor het andere te zetten. Mijn broers ondersteunden hem. Het werd al snel duidelijk dat de terugtocht naar Wau lang zou kunnen gaan duren.

We volgden hetzelfde patroon als op de heenweg naar het dorp; overdag verzamelden we voedsel en 's avonds sliepen we in een verlaten hut of op een open plek in het bos. Het was niet meer vreemd voor ons, dit was ons leven.

Op een ochtend werd ik hevig transpirerend en rillend wakker, hoewel het buiten al behoorlijk warm was. Ik had het gevoel alsof zich iets heel zwaars in mijn lichaam had genesteld waardoor ik niet kon opstaan. Het enige wat ik kon doen was rillen. Ik kon amper mijn hand optillen om het zweet van mijn voorhoofd te vegen. Mijn familie werd wakker en begon onze spullen te verzamelen, maar ik bleef roerloos liggen.

'Alek, sta op,' drong mijn moeder aan.

Ik rolde me om en ging op mijn knieën zitten. Staan lukte me niet. Mijn hoofd deed pijn en mijn spieren voelden aan alsof er spelden in werden geprikt.

'Voel je je wel goed?' vroeg mijn moeder.

'Ja.'

Ik wilde mijn familie niet demoraliseren. We hadden al genoeg aan ons hoofd. We gingen op weg, maar ik kon de rest nauwelijks bijhouden. De hele ochtend schuifelde ik voort in de achterhoede bij mijn vader en Deng. De anderen liepen nooit verder dan tien minuten voor ons uit. Na zo'n lange tijd met elkaar in het dorp te hebben doorgebracht en uit angst voor een confrontatie met milities of het leger, bleven we liever dicht bij elkaar. We reisden als een kudde.

'Er is iets mis met je, kind,' zei mijn vader tegen me.

'Nee, hoor. Ik mankeer niks.' We liepen langzaam verder. Maar op een zeker moment moest ik stoppen om gal over te geven.

'Alek! Zelfs ik loop sneller dan jij.'

'Baba,' zei ik, hem bij de naam noemend waarmee ik hem als kleuter had aangesproken. 'Ik ben zo moe.'

'Ik denk dat je malaria hebt,' zei hij.

Malaria is een inheemse ziekte in Zuid-Soedan die jaarlijks duizenden slachtoffers maakt. De meeste mensen kunnen zich immers geen muskietengaas permitteren. Malaria wordt veroorzaakt door een parasiet die zich in de rode bloedcellen nestelt, tot hij de lever bereikt waar hij zich voortplant. Na een week, of soms pas na enkele maanden, vallen de bloedlichaampjes uiteen en dringen de parasieten nieuwe rode bloedcellen binnen, waar ze zich weer delen. Naarmate er steeds meer bloedcellen uiteenvallen, komen er allerlei afvalstoffen vrij in het bloed die tot een koortsaanval kunnen leiden. Het lijkt dan of je een zware griep hebt. Ik bleef doorlopen. Er zat niets anders op. Mijn moeder had een ampul met medicijnen voor het geval de malaria echt heel ernstig werd, maar mijn vader vond dat ik het nog niet nodig had. Dus liep ik verder. Ik had het gevoel alsof ik doodging. Af en toe moest ik aan de rand van het pad overgeven. Ik voelde me ellendig, maar tegelijkertijd ook erg verbonden met mijn vader. Hij en ik waren de zieken in de achterste gelederen die zich door de dag heen moesten slaan. Eindelijk ging de zon onder en sloegen we ons kamp op.

'Als je morgen nog steeds ziek bent, nemen we een dag pauze,' zei mijn moeder.

Die nacht viel ik rillend in slaap. Midden in de nacht werd ik badend in het zweet wakker. De hemel was bedekt met sterren. Die aanblik gaf me troost. Ik zag de sterrenbeelden die mijn moeder me vroeger had aangewezen. Zoals altijd putte ik er nieuwe moed uit.

Ik viel weer in slaap en toen ik wakker werd van de geluiden van mijn moeder die de ontbijtspullen afwaste, voelde ik me een stuk beter. Ze had een beetje stoofgroente van de vorige avond voor me bewaard en toen ik dat op had, gingen we weer op pad. Inmiddels waren mijn slippers waardeloos geworden. De bandjes waren losgeraakt en ik had ze vastgemaakt met touw dat in mijn tenen sneed. Er zaten gaten in de zolen. De helft van de tijd had ik ze in mijn hand en liep ik blootsvoets. Op mijn voetzolen had zich intussen een dikke laag eelt gevormd, omdat ik in het dorp steeds op blote voeten had gelopen. Ik wilde mijn slippers sparen voor de rotsige bodem. Soms voerde onze route door een hoge, scherpe grassoort die zelfs door de zool van een slipper sneed. Telkens wanneer zo'n graspriet een van mijn psoriasiswonden raakte, gilde ik het uit van de pijn.

'O god, dit is een ramp,' zei ik toen we een veld met deze grassoort doorkruisten.

'Ik had als kind helemaal geen schoenen,' zei mijn moeder. 'Kun je nagaan. We liepen altijd en overal op blote voeten. Mijn voetzolen leken wel van leer.'

Ik vond het fijn als het regende. Het water voelde koel aan mijn voeten. Het regenseizoen liep echter ten einde, dus als het al regende, duurde het maar even. 's Nacht sliepen we gewoon door de regen heen, om 's ochtends in natte kleren wakker te worden, maar het duurde nooit lang voordat de ochtendzon alles had opgedroogd. Als het overdag regende, sprongen we in het rond tussen de dikke druppels. Het water was warm en voelde als een bad. We vingen zoveel regenwater op als we konden dragen. Als we stopten om uit te rusten, maakte mijn moeder een vuurtje en kookte het water om de parasieten te doden. Hoewel er geen mensen in de buurt waren om de plassen te besmetten, leefden er wel massa's dieren in het gebied. Hoe dorstig we ook waren, we moesten wachten tot het water had gekookt. Zo verkleinden we de kans op ernstige ziekten. We dronken een klein beetje van het gekookte water en droegen de rest mee in een fles. Op een avond – het was al laat – hoorde ik mijn oudere zus Adaw roepen om een van haar oude leraren. Ik snapte er niets van en toen ik haar door elkaar schudde, besefte ik dat ze nog sliep. 's Ochtends stond ze niet tegelijk met ons op. Ze bleef rillend onder haar deken liggen.

'Malaria,' zei mijn moeder.

Ze had het twee keer zo erg als ik. De hele dag door wuifden we haar koelte toe en depten haar voorhoofd met vochtige doeken. Niets leek te helpen. Die nacht hield ze ons allemaal wakker met haar koortsdromen. De volgende ochtend, net toen de zon als een oranje bal aan de horizon opkwam, besloot mijn moeder haar te injecteren met een ampul van het medicijn dat ze bij zich had. Vlak voordat iedereen uit Wau vluchtte, had ze het gekregen van een verpleegkundige in het Duitse ziekenhuis waar ik voor mijn psoriasis was behandeld. Mijn moeder had het medicijn voor noodgevallen bewaard.

Ze stuurde me naar het meertje, waar we de vorige avond langs waren gekomen, om water te halen. Vervolgens kookte ze het water en hield de injectienaald tien minuten boven het vuur. Mijn zus lag op haar zij op haar slaapmatje en strekte haar lange blote been uit. Toen mijn moeder, die nog nooit iemand had geïnjecteerd, de naald in haar been stak, wendde Adaw haar hoofd af. Mijn moeder moest een zenuw hebben geraakt want mijn zus trok haar been met een ruk weg waardoor de naald scheef in haar been terechtkwam. Mijn moeder spoot het medicijn langzaam in. Toen ze de naald eruit trok, spoot het bloed uit het been van mijn zus. We veegden het weg met een natte doek.

Het medicijn werkte. De koorts zakte en ook de andere verschijnselen werden minder. Maar de plek op haar been, waar mijn moeder de naald in had gestoken, deed pijn en na enkele dagen raakte de wond geïnfecteerd en begon grijs te kleuren.

's Nachts liep het pus uit de wond op haar slaapmatje. Met in de verre omtrek geen dokter te bekennen zat er voor mijn zus niets anders op dan achter ons aan te hobbelen. Als we eenmaal Wau hadden bereikt, moesten we een manier bedenken om ze allebei naar Khartoem te krijgen. Ik was pas tien, en kon me niet voorstellen dat mijn vader of mijn zusje zou kunnen overlijden. Maar de situatie was zeer zorgwekkend.

Zes maanden geleden waren we met niets vertrokken op weg naar het onbekende, en nu keerden we terug naar het onbekende. We wisten niet eens of ons huis er nog zou staan. Er was niets om blij om te zijn, maar toch waren we blij met elkaar.

Er gingen vier weken voorbij. Het droogteseizoen was begonnen en de dagen werden zonniger. Onderweg vonden we meer vruchten en eetbare planten. In zeker opzicht was de tocht minder zwaar, maar omdat mijn vader en zus zoveel pijn hadden, kostte de terugweg ons toch twee keer zoveel tijd als de heenweg. Mijn zus kon een dag lopen nog volhouden, maar mijn vader had nu zoveel last dat we halverwege de dag moesten stoppen om uit te rusten. Mijn moeder zat dan naast hem en keek hem onderzoekend aan om te peilen hoe slecht hij eraan toe was. Hoewel ik hem nooit maar dan ook nooit heb horen klagen, wist mijn moeder wel beter. Soms besloot ze de rest van dag niet meer verder te lopen om hem te laten herstellen. Dan bleven we slapen op de plek waar we waren gestrand. Ik kon aan hem zien dat hij het gevoel had dat hij tekortschoot.

Op de dagen dat hij zich beter voelde maande mijn moeder ons met zachte drang voorwaarts. Enerzijds wilde ze hem en mijn zus niet onnodig laten lijden, anderzijds wilde ze zo snel mogelijk op een plek zijn waar medische hulp voorhanden was.

We liepen nog meer vertraging op omdat we een andere route namen dan op de heenweg – dat is typisch iets voor Dinka, of ze nu uit de stad of van het platteland afkomstig zijn. Met name in moeilijke omstandigheden kiezen Dinka altijd voor een andere terugweg. Je weet immers nooit door wie je wordt gevolgd of wie je onderweg kunt tegenkomen. De wereld zit vol slechteriken. Die eigenschap zit zo diep ingeworteld dat ik in Brooklyn nog steeds via verschillende routes naar huis rijdt.

Eindelijk bereikten we het groene gebied dat aan de rivier Jur grenst en waren we vlak bij ons huis in Wau. Ik was zo opgewonden dat ik met Athieng vooruitrende. Onze voeten werden opengesneden door het scherpe gras, dat veel droger en ruwer aanvoelde dan we het ons herinnerden. Het kon ons niet schelen. We wilden zo snel mogelijk het water zien, en de oever aan de overkant, dat voor ons thuis betekende.

We stormden het pad af, dat ons algauw in een tunnel van bijna twee meter hoog gras voerde. De halmen striemden in ons gezicht, maar we renden er lachend en schreeuwend doorheen. Plotseling opende het pad zich naar een grijze vlakte van steen en modder, waar zilverreigers op hoge poten rondstapten. De rivier lag droog. Er was nog maar een stroompje over van de verraderlijke rivier die we maanden geleden waren overgestoken. We konden er makkelijk doorheen lopen. Zelfs mijn vader. Het leek wel tovenarij.

Toen ik me wilde omdraaien om het mijn moeder te vertellen, zag ik tien meter verder op de steile oever drie mannen staan. Ze waren gekleed in vodden en droegen kalasjnikovs bij zich. De leider droeg sandalen en een geelbruine vliegenierszonnebril. De andere twee liepen op blote voeten. Ik verstijfde. Mijn zus keek me aan en vervolgens naar de mannen. Haar adem stokte in haar keel. De mannen staarden ons aan en wij staarden terug. Niemand bewoog.

'Wie ben jij, meisje?' vroeg de leider.

Ik gaf geen antwoord.

Ik was doodsbang. Ik veronderstelde dat het rebellen waren, maar zelfs rebellen deinsden er niet voor terug Dinka te vermoorden als ze iets nodig hadden. Ik wist ook dat soldaten meisjes verkrachtten. Ik wist dat ze kinderen ontvoerden. Op dat moment hoopte ik dat mijn ontsierende psoriasis hen zou afschrikken en ze me links zouden laten liggen.

Een ogenblik later hoorde ik mijn moeders stem. Ze was ongeveer dertig meter van ons verwijderd.

'Alek, wat doe je daar? Waarom loop je niet door? We moeten verder. Voor zonsondergang moeten we in Wau zijn.'

Op dat moment daalden de mannen af van de oever. Ik stierf duizend doden van angst. Als ik die dag niet zo weinig had gedronken, zou ik het in mijn broek hebben gedaan.

Mijn moeder en ik hadden altijd goed met elkaar kunnen communiceren, ook in gebarentaal. Maar ik had een black-out. Ik kon niet meer praten, niet meer bewegen. Mijn moeder versnelde haar pas en toen ze bij me was, zag ook zij de rebellen staan. Ze keken haar aan alsof ze een spook was. Onverschrokken weerstond mijn moeder hun blikken. Ik was blij dat ze zo moedig was.

'O, ik zie al waarom je stilstaat.'

Ze was echt koelbloedig. Ze liet zich door niets van de wijs brengen.

Ik daarentegen was ervan overtuigd dat we voor dood in de hete zon zouden worden achtergelaten.

Maar toen herkende ze een van de mannen. Het waren Dinka, uit Wau.

'Ben jij niet Anok Deng? Ik ken je moeder goed.'

De leider knikte. Plotseling keek hij nogal schaapachtig.

'Lieve help, als je moeder eens wist. Hoe is het met haar?'

'Het gaat goed met haar, mevrouw. Ze is momenteel in Congo.'

'Is ze daar veilig?'

'Volgens mij wel, mevrouw.'

'Gaan jullie ons beroven?'

'Ik denk het niet, mevrouw.'

Mijn vader dook op achter mijn moeder. Hij glimlachte naar de mannen. Ook hij kende ze.

Ten slotte gaven we hun al onze spullen – ons zout, een stukje zeep, een pan en ons voedsel, niet omdat ze het eisten, maar als een geschenk. We hoopten dat we eenmaal thuis de spullen niet meer nodig hadden. Deze rebellen wekten de indruk dat ze alles nodig hadden waar ze de hand op konden leggen. Het rebellenleger bestond voornamelijk uit straatarme jongemannen. Bovendien had de SPLA geen goed georganiseerde, rijke regering achter zich staan die hen voorzag van uniformen en voedsel. De rebellen mochten van geluk spreken als ze een geweer en ammunitie hadden. Ook zij moesten elke dag hun eten maar bij elkaar zien te scharrelen.

Eigenlijk had ik medelijden met hen. De rebellen droegen mijn vader en mijn zus over de modderige, moeilijk begaanbare gedeelten van de rivier. Ik ben hun altijd dankbaar geweest. Voor hetzelfde geld hadden ze ons iets kunnen aandoen. Ze hadden ons ter plekke kunnen vermoorden, zoals veel anderen was overkomen na confrontaties met gewapende mannen, of het nu legertroepen, rebellen of milities waren. Deze mannen echter behandelden ons als medemensen. Het was een zegen. Ik zal hun gezichten nooit vergeten.

Aan de overkant van de rivier lag de brouwerij waar de kennis van mijn ouders woonde. Ondanks de ongeregeldheden was hij gebleven en gelukkig had hij het redelijk overleefd. Uiteraard had hij al zijn bier moeten weggeven. Toen het bier op was, had men geen belangstelling meer voor de brouwerij. Bovendien lag het bedrijf te ver van Wau af om van enig nut te zijn. We werden ontvangen in zijn huis, dat een cementen vloer had. Er was schoon drinkwater en een grote tuin. 'Eindelijk, we zijn de bush uit,' zei ik tegen mezelf. Hij en zijn vrouw boden ons een heerlijke maaltijd aan van kissra en een stoofschotel van gedroogde vis. Dat had ik al zolang niet meer gegeten. Ik had het gevoel alsof ik in het paradijs was beland. Toen het donker werd, kregen we een slaapplaats in zijn huis toegewezen.

De volgende ochtend liepen we vol verwachting in de richting van Wau. De gedachte aan thuis maakte me opgewonden en blij. Ik wilde naar de radio luisteren om te weten te komen wat er allemaal was gebeurd gedurende onze afwezigheid. Maar toen we de buitenwijken van de stad naderden, was goed te zien wat er was gebeurd, en dat was niet positief.

De eerste huizen die we tegenkwamen waren afgebrand. Het enige wat ervan over was, waren betonnen muren en gebroken ruiten. In de woonkamer van een afgebrand huis zat een man in de open lucht bij een kookvuur en staarde ons uitdrukkingsloos aan toen we passeerden. Tanks hadden diepe sporen in de weg achtergelaten. We zagen bomen die door mortieren in tweeën waren gespleten en waarvan de toppen op de grond hingen. Van het politiebureau was nog maar een ruïne over. In de muur zat een enorm gat. Wau was een spookstad geworden. Ik was in de war. Hoe kon ik verdrietig zijn terwijl ik weer thuis was?

'Alles is nu anders,' zei mijn moeder.

Toen we bij ons huis kwamen, zagen we dat het met zink bedekte hek van de voortuin kapot was. Er bleek een andere familie in ons huis te zijn getrokken. We kenden hen niet.

'Gooi ze eruit. Ze hebben het recht niet,' zei Adaw.

Het idee dat andere mensen in ons huis woonden, schokte me.

'Wacht hier, kinderen,' zei mijn moeder.

Ze liep met mijn vader het terrein op en legde beleefd doch met klem uit dat we waren teruggekomen. Ik zag een sombere uitdrukking op het gezicht van de man. Even dacht ik dat hij boos zou worden. Mijn vader nam hem apart en even later schudden ze elkaar de hand. In de omgang met mensen trad mijn vader krachtdadig op. Altijd bleef hij rustig en beleefd, maar zijn gezag werd gerespecteerd. Binnen een uur was de familie vertrokken. Later vertelde mijn vader dat hun eigen huis aan de rand van de stad gedeeltelijk was verwoest. Ze waren ervan uitgegaan dat wij niet meer terug zouden komen. Nu besloten ze terug te keren naar hun eigen huis.

Tot onze grote verbazing lagen mijn moeders voorraad pinda's en graan, en zelfs wat zaden om te planten, nog steeds begraven onder stro in een grote aardewerken pot.

Er was nog maar weinig politie in de stad. Er waren over het algemeen nog maar weinig mensen. De meeste buren waren vertrokken, hoewel enkelen, net als wij, de weg terug hadden gevonden. 's Nachts waren we bang. Dan rolden legertanks heen en weer over de weg en hoorden we regelmatig vuurgevechten tussen de milities en het leger. Niemand was te vertrouwen.

We probeerden zo goed en kwaad als mogelijk was ons oude leventje weer op te pakken. Het was lastig, want mijn vaders baan bij het ministerie van Onderwijs bestond niet meer en voor ons waren er geen rijksscholen meer. Ik ging naar een katholieke missieschool, die door nonnen werd gerund. Mijn moeder had besloten haar koeien op het platteland te laten, omdat het nog steeds te gevaarlijk was om te reizen. Ze plantte snelgroeiende gewassen, zoals maïs en pinda's, in de tuin. We waren arm, maar ik vond het niet erg. Meestal moesten we het doen met één maaltijd per dag.

In principe leefden we in gevangenschap. Behalve naar school mocht ik nergens naartoe, met name 's avonds. De milities bedekten hun hoofden met shawls en kwamen in het donker tevoorschijn om te roven en te moorden. Die wilde je 's nachts liever niet tegenkomen. En 's nachts werd er nog altijd geschoten.

Mijn moeder hoorde dagelijks over de schutting wie van onze buren – er waren er niet veel meer over – vermoord was. Geen enkel sterfgeval ontging me. In Soedan veroorzaakt de dood diep verdriet, waaraan met veel geweeklaag en gehuil uitdrukking wordt gegeven en de vrouwen een trillend geluid maken met hun tong.

Als ik al het huis uit had gemogen, kon ik toch nergens naartoe.

Alle naschoolse activiteiten waren inmiddels opgeheven. Sporten was evenmin mogelijk. Er was helemaal niets te beleven. Wau werd bevolkt door vluchtelingen van het platteland, vreemd uitziende mensen afkomstig uit het hart van de bush. Zelfs de wijk waar de rijke mensen met hun auto's en op benzine aangedreven generators hadden gewoond, was overgenomen door vluchtelingen. Ondanks de mensen die er nog woonden, leek Wau uitgestorven. Het meeste plezier na onze terugkeer hadden we toen we de batterijen uit mijn vaders radio haalden en ze de gloeilampen aansloten die we op de markt hadden gekocht. Ineens hadden we licht. We bleven langer op. We zongen en praatten. We vonden het geweldig om, net als de rijke mensen, elektrisch licht te hebben. Mijn hele leven hadden we kaarsen en kerosinelampen gebruikt.

Al die tijd was het nog steeds de bedoeling mijn vader in een ziekenhuis te laten opnemen. Mijn moeder wilde dat we allemaal Wau zouden verlaten, zodat we elders behoorlijk onderwijs zouden kunnen volgen. Het was een dagelijks terugkerend onderwerp van gesprek.

Ze waren vastbesloten met ons naar Khartoem te gaan. Ik wist dat het op een dag zou gaan gebeuren. Ons leven was zwaar, maar ik wist dat we het zouden redden als we de kans kregen. Dat vertrouwen gaven mijn ouders me.

Er reden geen bussen of treinen, en niemand had een auto. Trouwens, een rit over de weg was veel te gevaarlijk. Overal lagen landmijnen en veel bruggen waren opgeblazen. Gewapende mannen, soms nog kinderen, hadden her en der blokkades opgericht en als je hun niet gaf wat ze wilden, schoten ze je dood.

Te voet naar Khartoem was ook geen optie. Soedan is het grootste land van Afrika. De tocht zou ons maanden kosten en door gevaarlijk gebied voeren.

De enige manier om te reizen was per vliegtuig. Het vliegveld, dat op dertig minuten lopen aan de rand van de stad lag, was in handen van het leger. Als ik op school een vliegtuig hoorde landen, sprong ik op en rende naar huis. Zo snel als mogelijk was met mijn vader en zusje, haastten we ons naar het vliegveld, in de hoop dat ze met de eerste de beste vlucht mee konden. De rest van de familie zou hem dan zo snel mogelijk nareizen. Burgervluchten landden allang niet meer in Wau. Militaire vliegtuigen echter wel. Om de paar dagen landde er een reusachtig C-51-transportvliegtuig met voorraden voor het leger. Als de soldaten in de juiste stemming waren of als je ze flink wat steekpenningen gaf, kon je proberen mee terug te vliegen naar Khartoem.

Zíj waren echter zelden in de juiste stemming en wíj hadden geen geld. Maar telkens wanneer we een C-51 in de lucht zagen, riep mijn moeder ons bij elkaar en haastten we ons naar het vliegveld in de hoop te kunnen ontsnappen. Langs de modderige weg stond het gras hoog en de vochtige lucht lag als een verstikkende deken over me heen, waardoor ik me nog wanhopiger voelde. Op het vliegveld stonden de soldaten in hun werktenue en met hun baretten schuin op hun hoofd. Hun ogen waren bloeddoorlopen en ze oogden nerveus. We voegden ons in de hangar bij honderden andere mensen en niemand, inclusief de soldaten, wist wat er aan de hand was. Toen het vliegtuig zonder ons de startbaan op reed, was het enige wat we wisten dat wij niet met deze vlucht mee konden.

Ik verachtte de soldaten. Zij waren immers degenen die elke nacht onze stad aan flarden schoten, maar voor onze eigen veiligheid waren we beleefd tegen hen. Als je klaagde, werden ze boos en namen ze hun geweer in beide handen. Ze wilden de mensen het liefst zien smeken. Daardoor voelden ze zich sterk.

Toen ze dan eindelijk een keer een beetje mededogen toonden, kwam dat als een schok voor ons.

Mijn vader had zoveel last van zijn heup dat een kind kon zien dat hij dringend hulp nodig had. Het geïnfecteerde been van mijn zus begon zwart te worden. Ze sliep slecht en lopen deed haar on-gelofelijk veel pijn. In Wau was er niemand die hen kon behande-len.

Toen we voor de derde keer naar het vliegveld waren gelopen, smeekte mijn moeder de bewakers om mijn vader aan boord te la-ten. Ze wees op zijn heup. Ze riep Adaw bij zich en liet hun de in-fectie op haar been zien. Ze smeekte echt. Ten slotte zeiden de be-wakers: 'Oké, ze mogen mee. De rest van jullie blijft hier.'

Toen ze waren opgestegen, waren we nog maar met vijf kinde-ren over. Mijn oudere zus Ajok was met een Dinkaman getrouwd en naar Londen vertrokken, waar hij architectuur studeerde. Ze hadden met hun kinderen naar Soedan willen terugkeren, maar mijn ouders hadden hun op het hart gedrukt in Londen te blijven. De situatie was te gevaarlijk en bovendien konden ze de familie steunen met het geld dat ze in Engeland verdienden en vandaar-uit eventueel voor ons een vluchtelingenstatus regelen. Mijn oud-ste broer studeerde nog in Juba. Ook hem had mijn moeder op het hart gedrukt niet naar Wau terug te keren. Nooit. Wij gingen zelf uit Wau weg. Er was niets meer om voor te blijven. Mijn vader was vertrokken. We hadden geen geld. We hadden geen idee wat de toekomst voor ons in petto had. We gingen naar huis en huil-den. Het was een van de weinig keren dat ik mijn moeder zag hui-len.

Een paar dagen later hoorde ik weer een vliegtuig landen. Weer gingen we naar het vliegveld, maar ze lieten ons niet aan boord gaan. En de keer erop evenmin. Telkens werden we naar huis ge-stuurd omdat er niet genoeg plaatsen waren. Het Wek-leger was nog steeds te groot om ons allemaal op één vlucht te krijgen. Op een dag dat we weer naar het vliegveld liepen zei ik tegen mijn moeder: 'Vandaag vertrek ik, hoe dan ook. Ook al moeten we ons opsplitsen.' Ik was twaalf jaar oud.

Even keek mijn moeder me aan alsof ik gek geworden was. Maar ze zag dat ik het meende. Iets in haar wist dat ze me kon vertrouwen.

Op het vliegveld speelde zich weer hetzelfde tafereel af. Norse soldaten. Honderden mensen die wilden vertrekken. Een rij mensen die om welke reden dan ook – steekpenningen, connecties? – wél aan boord van het vliegtuig mochten. Die middag zag het er alweer naar uit dat we niet mee konden. Hadden we maar geld om de soldaten om te kopen. Terwijl we met moeite de soldaten probeerden te overtuigen, zag ik plotseling een van onze buren op het punt staan aan boord te gaan. Ik kende hem eigenljk niet zo heel erg goed. Voor hetzelfde geld was het een kinderverkrachter.

Op dat moment nam ik een besluit. Zonder iets te zeggen liep ik weg van mijn moeder in de richting van de man. Hoewel hij bijna een vreemdeling voor me was, zei ik tegen de bewakers dat hij mijn vader was. Tot mijn verbazing knikte hij instemmend. Ik ging vertrekken!

Mijn moeder keek me bedroefd na, maar ze begreep mijn besluit. Op dat moment werd haar vertrouwen in mij bevestigd. Ik was bang, maar voelde me ijzersterk. Ik ging mijn vader helpen. Door mijn vertrek zou het voor de anderen makkelijker worden weg te komen. Eén lid van het Wek-leger minder.

Mijn moeder kon geen woord uitbrengen. Ze was bang dat de soldaten mijn bedrog zouden ontdekken. Ondanks haar zwijgen sprak haar gezicht boekdelen. 'Ik hou van je, ik ben trots op je. Pas goed op jezelf.'

Toen de rij mensen zich in beweging zette, fluisterde ze in Dinkataal tegen mijn nieuwe vader. 'Breng haar naar haar familie in Khartoem.' Ze gaf hem het adres van mijn tante. Het adres van mijn oom, bij wie mijn vader verbleef, wist ze niet.

De man knikte. Maar hij kon van alles van plan zijn. Stel je voor dat hij me verkocht? Of als een van zijn vrouwen nam? Stel je voor dat ik mijn moeder nooit meer te zien zou krijgen?

Toen ik mijn moeder over mijn schouder een veelbetekenende blik toewierp, stapte er plotseling een soldaat naar voren.

'Wie ben jij?' wilde hij weten. 'Wat doe je hier?'

Ik schraapte al mijn moed bij elkaar en speelde de vermoorde onschuld.

'Dat is mijn vader,' zei ik, wijzend naar mijn buurman.

Mijn buurman speelde zijn rol goed en knikte alleen maar even.

'Kom mee, meisje,' zei hij. 'Blijf maar bij me.'

Ik was twaalf jaar oud en helemaal alleen op de wereld. Ik vluchtte voor de oorlog met niet meer dan de kleren die ik droeg. Toen we instapten, wierp ik nog een laatste blik op mijn moeder. Haar ogen stonden vol tranen. Ook ik kon wel huilen, maar ik slikte mijn tranen weg.

We beklommen de stalen trap naar het vrachtruim van het toestel. Het was een gigantisch vliegtuig dat werd gebruikt om de militaire bases door het hele land te bevoorraden. Er was geen enkele voorziening voor passagiers. Maar het beschikte wel over propellers, en meer had ik niet nodig om me over de uitgestrekte woestijn te laten vliegen naar Khartoem, waar mijn vader op me wachtte. Ik ging naast mijn 'vader' op een houten plank zitten en probeerde een manier te bedenken om mezelf vast te gespen. Onder de plank lag een parachute, maar ik betwijfelde of die wel zin had voor zo'n magere spriet als ik. Toen het toestel over de startbaan begon te taxiën, schakelde de piloot alle lichten uit zodat we niet door luchtdoelraketten konden worden geraakt. Gedurende drie uur vlogen we door totale duisternis. De passagiers waren de hele vlucht muisstil. Het leek wel een dodenwake. Uiteindelijk landden we in Khartoem.

6

Toen ik met mijn nepvader de vliegtuigtrap afdaalde en de landingsbaan op liep, sloeg de hitte me tegemoet. In de aankomsthal zetten de vrouw en drie kinderen van de man grote ogen op toen ze ons zagen komen aanlopen.

'Wie is dat meisje?' vroeg zijn vrouw.

'Maak je geen zorgen.'

De kinderen keken me boos aan.

'Herinner je je Alek? Ze woonde in Wau bij ons in de straat.'

Toen ontspanden ze.

Terwijl ik in de vlieghaven om me heen keek, duizelde het me van de gestoffeerde meubels, de lichten en de in mooie kleren gestoken mensen. Ik was blij dat ik er was.

We reden een paar kilometer over een drukke weg de stad in, waar ze me bij het huis van mijn tante afzetten.

'Alek… Niet te geloven,' zei ze toen ze de deur opende. Niemand wist dat ik zou komen.

Mijn tante woonde met haar man en twee kinderen in een twee verdiepingen tellend huis met geschilderde wanden. De kamers stonden vol meubels en ze hadden zelfs een televisie, die ik pas een paar keer in mijn leven had gezien. Omdat het al laat was, kon ik de nacht bij hen doorbrengen. Ik deed geen oog dicht. Ik miste mijn moeder en wilde zo snel mogelijk naar mijn vader toe.

In de loop van de ochtend kwam mijn broer Wek me ophalen. Ik had Wek al lange tijd niet gezien. Hij was langer dan ik me herinnerde, maar ik voelde me meteen op mijn gemak bij hem. Overdag zag de buurt waarin mijn tante woonde er droog en vies uit. Aan de ongeplaveide straten lagen huizen van baksteen. Ik werd bijna kletsnat gegooid door een vrouw die na de afwas een emmer water op straat leeggooide.

We namen een bus naar een busstation in het centrum, die ons door drukke straten vol karren, bussen, mensen en geparkeerde auto's voerde. Alles in Khartoem was groot. De gebouwen telden allemaal twee of drie verdiepingen en hadden gordijnen voor de ramen en turkoois of blauw geschilderde metalen hekken. Ik had nog nooit zoveel mensen bij elkaar gezien. Het merendeel van de mannen droeg een lange witte djellaba en sandalen, de vrouwen een *tope*. Een tope is een brede, drie meter lange omslagdoek, die ofwel wit of bontgekleurd is en om het hoofd en lichaam wordt geslagen.

Terwijl we in het busstation in de verzengende hitte op onze bus wachtten, nam ik alles gretig in me op. Ik snoof de heerlijkste geuren op. Achter ons spreidde een man een gestreepte deken uit op het asfalt, waar hij manden met versgebakken brood op uitstalde. Dichterbij bracht een verkoper watermeloenen aan de man die hij besprenkelde met limoensap. Naast hem zat een man in een t-shirt en een bruin pak een pijp van een meter lang te roken. De rook versluierde zijn verweerde gezicht. Hij droeg een halsketting met dikke rode en witte kralen die afstaken tegen zijn donkere huid.

'Heb je zin in cola?' vroeg mijn broer aan me.

'Jawel,' zei ik terwijl ik mijn opwinding probeerde te verbergen. Ik had als kind wel Coca-Colareclame gezien, maar nog nooit cola gedronken. Hij kocht twee flesjes en gaf er een aan mij. Het flesje voelde heerlijk koud aan in mijn warme hand. Ik bracht het flesje naar mijn mond en nam een slok. Het koolzuur tintelde in mijn mond. Ik vond het heerlijk! Maar ik had nog nooit frisdrank gedronken en had moeite met de bubbels, zodat de cola er door mijn neus weer uitkwam.

'Dat had ik de eerste keer ook,' zei mijn broer.

De rest van het flesje dronk ik heel voorzichtig leeg.

Toen er een gedeukte, bontgekleurde bus arriveerde, wrongen we ons door de wachtende menigte naar de ingang en vonden een zitplaats. De busrit voerde ons een halfuur lang langs smoezelige, witgepleisterde huizen, waar slechts hier en daar een palmboom of struik boven de tuinmuren uitstak.

'Ik moet je waarschuwen,' zei mijn broer. 'Het gaat niet goed met papa.'

Mijn hart kromp ineen. Ik had gehoopt dat mijn vader was hersteld. In mijn gedachten liep hij weer fier rechtop en was hij sterk genoeg om me hoog boven zijn hoofd te tillen.

We stapten uit de bus en liepen over een zandweg naar het huis van mijn oom. Voordat we de tuin in liepen, klopte mijn broer luid op het ijzeren hek. We werden begroet door de vrouw van mijn oom. Of beter, door een van zijn vrouwen, want hij had er drie. Ze bracht me naar mijn vader, die in de woonkamer op een stretcher lag.

'Dag, lieverd,' zei hij. Hij kwam overeind om me te omhelzen.

Ik schrok toen ik zag hoe slecht hij eraan toe was. Maar hij was blij me te zien en mijn oom zorgde goed voor hem. Aangezien mijn oom drie vrouwen en een stuk of twaalf kinderen had, was het druk in huis. Maar er heerste een goede sfeer. In Soedan is het niet ongebruikelijk dat een man meerdere vrouwen heeft, en de vrouwen van mijn oom waren tot een goede taakverdeling gekomen. De een bereidde de maaltijden, de ander maakte het huis schoon en de derde deed de boodschappen.

Mijn oom was arts en probeerde via zijn contacten een goede chirurg voor mijn vader te regelen. Helaas was dat nog altijd niet gelukt. Voor de benodigde operaties werd meer geld gevraagd dan we konden betalen. Intussen kwijnde mijn vader weg. Mijn oom kon wel regelen dat ik bij een paar dermatologen terecht kon voor mijn psoriasis, die elke maand erger leek te worden. De artsen kwamen echter niet met nieuwe ideeën. Ik kreeg dezelfde dure crèmes als ik van de Duitse artsen had gekregen en die geen enkel langdurig effect hadden. Omdat mijn vader nauwelijks nog kon lopen, bracht ik het grootste deel van de tijd in huis door. Ik voelde me veilig en maakte me geen zorgen om wapens en militairen.

Ik miste mijn moeder, broers en zussen vreselijk. Om de zoveel tijd kregen we bericht van mijn moeder: 'Het zijn zware tijden. We proberen nog altijd met een vliegtuig uit Wau weg te komen. Kom onder geen beding terug.'

Wanneer ik maar kon, ging ik met mijn broer of een andere volwassene mee de stad in om boodschappen te doen. Khartoem zelf telde zo'n miljoen inwoners, maar wanneer je Bahri, waar we later naartoe verhuisden, en Omdurman – voor steden die via bruggen over de Witte en de Blauwe Nijl te bereiken waren – meetelde, kwam de metropool op zo'n vier miljoen mensen. In de jaren zeventig en tachtig van de twintigste eeuw kwam er vanuit Ethiopië, Tsjaad en andere Afrikaanse landen een grote vluchtelingenstroom op gang, gevolgd door vluchtelingen uit het zuiden van Soedan toen de burgeroorlog weer oplaaide. Hoewel de stad Arabisch was en werd bestuurd door soennitische moslims, zorgde de verscheidenheid aan mensen voor een kosmopolitische sfeer.

Maar ook al was ik nog maar twaalf, ik voelde duidelijk dat de

Arabische moslims op me neerkeken omdat ik een Dinka was. Wanneer ik door de stad liep voelde ik hun starende blikken. Bovendien sprak ik Arabisch met een zwaar accent, want mijn moedertaal is Dinka en dat sprak ik thuis. Ook kon men ongetwijfeld aan de woorden die ik gebruikte horen dat ik van het platteland kwam. Niettemin kon ik goed uit de voeten in het Arabisch omdat het de verplichte voertaal op Soedanese scholen is.

De mooiste gebouwen in de stad vond ik de moskeeën, met hun minaretten die hoog boven de stad uittorenden. Bij het huis van mijn oom in de buurt lag een kleine moskee die ik erg mooi vond. Het was een plat gebouw met mintgroene wanden en kleine witte driehoeken langs de dakrand. Op het dak prijkte een minaret in de vorm van een reusachtige bruine ijshoorn, waaromheen een witte band liep die me aan suiker deed denken.

Vijf keer per dag klommen de muezzins tot boven in de minaretten om de gelovigen op zangerige, smekende toon op te roepen tot het verplichte gebed, ofwel *fard salah*. De gebedsoproep, de *Adhan*, was in het Arabisch:

Allah is de grootste
Ik getuig dat er geen God is dan Allah
Ik getuig dat Mohammed de Boodschapper van Allah is
Haast je naar het gebed
Haast je naar de voorspoed
Allah is de Grootste

De mannen spoedden zich dan naar de moskee voor het gebed, of knielden op de markt of op de stoep neer op bidmatjes. Ik vond die verering van God mooi om te zien. Ik herinner me dat mijn broer en ik op een saaie namiddag langs een groep mystieke soefi's liepen die in het oude deel van Khartoem op een plein aan het dansen en het bidden waren. Een van hen, een man in bontgekleurde vodden, maakte zich los uit de groep en begon rond te dansen, waardoor zijn gescheurde kleren als linten om hem heen wervelden.

De moslimwereld had echter ook kanten waar ik veel moeite mee had. Zo vond ik de sharia erg wreed. Op de hoek van de straat nabij mijn ooms huis zat vaak een zestienjarige jongen van wie de linkerarm en het rechterbeen slechts stompjes waren waar hij niets mee kon. Hij bedelde om geld, maar ik zag nooit iemand iets geven. Mijn tante vertelde me dat hij op heterdaad was betrapt tijdens een overval op een winkel en volgens de laatste interpretatie van de sharia was gestraft met de amputatie van een hand en een voet.

Soedan was langzaam islamitisch aan het worden. Het Nationaal Islamitisch Front verplichtte scholen hun leerlingen radicale liederen te leren, en de politie zag erop toe dat vrouwen hun sluier droegen. Jonge stelletjes mochten niet hand in hand over straat lopen. Een meisje in een rok werd uitgescholden voor hoer. Mensen werden gearresteerd en in de gevangenis afgetuigd door gevangenbewaarders die waren opgeleid door de Iraanse Revolutionaire Garde. Soedan, ooit een tolerant land waar het vreedzame soefisme de belangrijkste islamitische stroming was, was verworden tot een wreed land waar kruimeldiefjes werden verminkt. Enerzijds haatte ik de stad, maar anderzijds woonde ik liever in Khartoem dan in Wau, waar ik kon worden vermoord, of op het platteland, waar ik insecten in mijn oren kon krijgen.

Drie maanden later arriveerde de rest van ons gezin in Khartoem. Mijn oom, Deng, die niet echt mijn oom was maar een soort achterneef die we oom noemden, was zeer gastvrij.

'Zeg, vind je het erg als mijn vrouw en zes van mijn kinderen ook in jullie kleine driekamerwoning komen wonen?' had mijn vader aan hem gevraagd.

Het was een heksenketel. Oom Deng, zijn drie vrouwen en twee kinderen – een van de vrouwen was onvruchtbaar – sliepen in de twee slaapkamers. Het Wek-leger kreeg de woonkamer toebedeeld, wat we prima vonden, aangezien we nergens anders heen konden. We legden dunne matrassen op de vloer en sliepen met zijn allen bij elkaar. Vanwege de krappe ruimte viel er altijd wel iets te klagen. Dan weer rolde er iemand tegen je aan, dan weer lag er iemand te woelen of te praten in zijn slaap. Toch kwamen we elke keer de nacht weer door.

Bij mijn oom thuis aten de mannen en vrouwen gescheiden. Uiteraard kregen de mannen meer voedsel. Aanvankelijk ergerde ik me aan die scheiding, want in ons gezin aten we altijd samen. Na een tijdje begon ik het echter prettig te vinden. Vrouwen onder elkaar praten zo makkelijker over dingen waarin mannen toch niet geïnteresseerd zijn.

Maar hoe we ook hielpen met koken en poetsen, feit bleef dat we met zo'n twintig man in een driekamerwoning leefden, met twee veranda's en slechts één latrine. Achteraf verbaast het me dat ze het überhaupt goedvonden dat we bij hen introkken. Daaruit blijkt wel hoe ruimhartig mijn oom was en hoe gastvrij de Dinka in het algemeen zijn. Uiteindelijk bleek het echter te veel gevraagd van zijn gezin. Zijn vrouwen begonnen met elkaar te kibbelen, wat ze aanvankelijk niet hadden gedaan. Een van de vrouwen was van een andere stam en de andere twee wierpen haar voor de voeten dat ze geen Dinka was en de dingen niet op de Dinkamanier deed.

Mijn moeder zei tegen ons dat we ons met onze eigen zaken moesten bemoeien.

We wisten dat we snel zouden moeten verhuizen. Mijn beide ouders hadden geen baan, maar mijn zus in Engeland werkte als au pair. Ze begon ons elke maand honderd pond te sturen. Omdat er geen post werd bezorgd en we de banken niet konden vertrouwen, stuurde ze een brief met geld via een koeriersdienst van een luxehotel in Khartoem. Een betrouwbare vriend van ons die daar werkte gaf het geld vervolgens aan ons. Het leek wel een James-Bondfilm, zoals we de bus naar het hotel moesten nemen om de brief in het geheim van hem in ontvangst te nemen.

Zodra we wat geld hadden gespaard, ging mijn broer er dagelijks op uit om een betaalbare woning voor ons te vinden. Dat was niet makkelijk, want Khartoem was veel duurder dan Wau. Als we geen huis vonden, zouden we in een kamp aan de rand van de stad terechtkomen, waar de regering berooide vluchtelingen huisvestte. De mensen daar leefden onder zeer zware omstandigheden in tenten. Ik was wel eens met mijn moeder in het kamp geweest om een verre verwant van haar te bezoeken. Na een halfuur lopen door de Sahara kwamen we in een uitgestrekte woestenij waar het kamp lag. Er groeide niets. Water was er schaars. Er waren geen toiletten. Sommige vluchtelingen woonden in een tent, maar de meesten leefden in zelfgemaakte hutten van planken, lappen en plastic zeilen. Mijn moeders familie had het relatief goed: ze hadden een paar tenten en zochten een manier om uit het kamp weg te komen. Maar de vluchtelingen bleven toestromen en het kamp werd steeds groter.

Toen we in de namiddag vertrokken was de lucht stralend blauw, maar we waren nog geen paar minuten op weg of er stak een hevige storm op.

'O mijn god, een *haboob*,' zei mijn moeder.

Een haboob is een krachtige zandstorm, die de zon tijdelijk kan verduisteren. De storm kan in elk seizoen voorkomen, maar steekt vooral op in de winter. De haboob kwam snel in onze richting.

'Snel, Alek, achter die rots.'

We renden ernaartoe en verscholen ons onder de overhangende rots. De haboob kwam fluitend naderbij. Ik kon geen hand voor ogen zien. Het stof vulde mijn ogen en oren. Het zand deed pijn aan mijn tanden. We zaten een uur lang tegen elkaar aan totdat de storm afnam en vervolgden toen onze weg. Het leek wel of we onszelf hadden geschminkt. Toen we thuiskwamen zat er zand in het water, zand in de bedden. Overal rood stof. Ik dacht aan de vluchtelingen in hun flinterdunne tenten en was bang dat ook wij in het kamp zouden eindigen.

Mijn broer vond een tweekamerwoning aan de rand van de stad.

Ons nieuwe huis werd door een muur afgescheiden van de straat. We beschikten periodiek over elektriciteit voor licht en onze radio. Omdat we bijna niets hadden, waren we in een mum van tijd verhuisd. We kochten een houtskooloven, een paar pannen en een keramieken kruik om ons drinkwater koel te houden op dagen dat het kwik boven de 38 °C uit kwam.

Het huis had twee grote kamers, een voor de meisjes en een voor de jongens. We hadden echte bedden met springveren en matrassen. Ik had nog nooit in zo'n bed geslapen – in Wau hadden we altijd touwbedden gehad. Mijn zus stuurde ons prachtige lakens uit Londen. Hoewel onze vloeren van zand waren, hadden we het gevoel dat we in luxe leefden.

We hadden een putlatrine en stromend water, wat nieuw voor mij was. Vreemd genoeg was er geen afvoer voor het water, alleen een opvangtank. Wanneer je een douche nam, liep het verbruikte water in de tank, die ongeveer water van drie douches kon bevatten. Wanneer de tank vol was moesten we het water uit de tank scheppen en op straat verdelen. Om een of andere reden absorbeerde de grond in Khartoem nauwelijks water en ontstonden er plassen als je het water op straat gooide. Vandaar dat we het water uit de tank goed over de straat verspreidden zodat het snel kon verdampen in de zon. Verderop in de straat woonden mensen die dat niet deden, zodat er voor hun woning altijd een vieze plas schuimend water lag. Mijn moeder ergerde zich daar dood aan.

Op een dag liepen we naar huis toen een auto door die vieze smurrie reed en ons helemaal nat spatte.

'Ik wil zo snel mogelijk terug naar Wau,' zei mijn moeder.

Mijn moeder hield van orde en netheid. Bij ons thuis deden de kinderen het huishouden. Wij veegden, wasten af, hielden de tuin bij, deden de was op de hand en hingen hem aan de lijn te drogen. In het weekend deden we niets anders dan werken. Maar we hadden altijd schone kleren. In haar ogen was rommel een teken van luiheid.

'Hoe moet je jezelf voelen als je zo slordig bent?' zei ze dan.

In Khartoem is het vaak zo heet dat we regelmatig onze bedden het huis uitsleepten en buiten sliepen. Vanuit onze achtertuin konden we in het huis van de buren kijken, dat in onze ogen een paleis was. Door de grote ramen zagen we de prachtige tegelvloeren en de dure tapijten. Als de ramen openstonden, was het geluid van hun televisie hoorbaar in onze tuin. Op hete nachten hoorden we hun airconditioning zoemen. Nooit eerder was ik zo dicht in de buurt van zoveel rijkdom geweest. Niet dat we de bewoners kenden, want ze spraken nooit met ons. In die broeierige nachten keek ik naar de sterren en luisterde ik vanuit mijn bed naar de airconditioning terwijl het zweet van mijn huid droop. Vanwege de hitte groeiden er in Khartoem nauwelijks planten, behalve langs de oevers van de rivier, waar altijd wel groene stroken gras en schaduwrijke bomen waren. Maar de rivier lag ver van ons huis. We hebben een keer een ei gebakken op een terrastegel om te kijken hoe heet het was. We hebben het nog opgegeten ook. Khartoem is geen fijne plek om te wonen en we moesten ons best doen er iets van te maken.

Ook al was de oorlog ver weg, we leefden altijd in angst voor de dood. Op een ochtend werd ik rillend wakker. Mijn moeder wilde dat ik wat hete thee en brood nam, maar ik weigerde te eten. Niet veel later moest ik braken en daar ging ik zo lang mee door totdat ik uiteindelijk gal opspuugde. Ik had weer malaria. Ik weet niet of ik opnieuw was besmet of dat mijn oude besmetting opspeelde, maar ik heb een paar keer zo'n aanval gehad. Onze buren kregen tyfus. Verderop in de straat stierf iemand aan difterie. Niemand van ons was ingeënt tegen ziekten. De dood behoorde tot de realiteit van alle dag.

Mijn vader was stervende, maar niemand durfde het toe te geven. Hij had een beroerte gehad en was gevallen. Hij was aan zijn linkerzijde verlamd en behalve zijn heup had hij ook zijn linkerschouder gebroken. Hij werd met de dag zwakker, totdat hij niet meer zijn kamer uit kwam omdat lopen te veel pijn deed. We beschikten niet over het geld om hem in Khartoem te laten behandelen. Hoewel hij erg ziek was, klaagde hij nooit en we probeerden hem zoveel mogelijk op te vrolijken.

Om zijn leven wat te veraangenamen improviseerden we een nieuwe vloerbedekking in zijn kamer, die hij deelde met mijn broers. De smerige zandvloeren in ons huis waren verschrikkelijk, omdat je altijd zandstof tussen je tenen en kleren kreeg. Slapen in zo'n stoffige kamer was al helemaal een nachtmerrie. Op een dag vond mijn moeder een pas gegraven put niet al te ver van ons huis. Bij het graven van de put hadden de arbeiders een berg schoon zand naast het gat achtergelaten. Mijn moeder stuurde haar Wek-leger eropaf om het zand met alle blikjes die we in huis konden vinden naar de kamer van mijn vader te brengen, waar we het over de stoffige grond verdeelden. Het idee van mijn moeder om een schone vloer te maken maakte ons leven er een stuk prettiger op. Ik vond het ineens lekker om zittend op de grond met mijn vader te praten. Hij was dan wel ziek, maar we voelden ons veilig.

Ik heb altijd te doen met arme mensen, omdat ik weet hoe het is om arm te zijn. Het is allesbehalve prettig. Je hebt geen keuze. Je hebt het gevoel dat je geen kant op kunt. Je hebt niet altijd te eten. Je kunt geen kleren kopen. Je gaat niet uit. Maar het ergste is dat je geen arts kunt betalen als je ziek bent. Je weet dat je ernstig ziek bent en gaat sterven, maar je kunt er niets aan veranderen. Dat is wat mijn vader is overkomen. Mijn vader stierf van armoede.

Mijn hart brak als ik mijn vader en moeder in het donker hoorde bespreken wat ze konden doen om hem te genezen. Mijn zus wilde dat hij naar Engeland kwam voor behandeling, maar hij kon geen visum krijgen. Hij zou nog geleefd hebben als hij was gegaan, maar als volwassene moest hij kunnen bewijzen dat hij zichzelf kon bedruipen. Dat kon hij niet. Ik bad dat iemand ons zou helpen, maar in Karthoum verbleven miljoenen mensen die hulp nodig hadden. We waren slechts een van de velen.

Het was vreselijk hem te moeten zien lijden. Ik kwam na school aan zijn bed zitten en vertelde hem over mijn dag en over het eten dat we aan het klaarmaken waren. Ik drukte een koude doek tegen zijn voorhoofd en veegde zijn lippen af. Tot het laatste moment stonden zijn ogen helder en keek hij me liefdevol aan. Hij klaagde nooit, niet één keer. Ik herinner me dat hij naar me glimlachte. Hij stierf, in bed, ongeveer zesenvijftig jaar oud. Niemand wist precies wanneer hij was geboren, maar hij was altijd een jonge man gebleven. Wek Atheon, mijn vader. Mijn moeder was bij hem toen hij stierf. Kinderen mochten het stoffelijk overschot niet zien, noch aanwezig zijn op de begrafenis, maar nieuwsgierig als ik was, glipte ik zijn kamer binnen om te kijken. Hij lag er vredig bij, met mijn moeder aan zijn zijde. Toen ze me zag, werd ik naar de buren gestuurd. Mijn moeder droeg veertig dagen wit, zoals alle Dinkavrouwen wanneer hun echtgenoot overlijdt. Daarna ging ze verder met haar leven. Dat is iets wat ik van mijn moeder heb geleerd: vergeet het niet, maar ga verder met je leven.

Na de dood van mijn vader bleven we in ons huis in Khartoem wonen. Onze keuken was een rommeltje achter het huis, met een paar borden en zo'n vijf pannen. Omdat we geen koelkast hadden, gebruikten we een kleivat waarin we ons voedsel redelijk koel konden houden. We hadden ook een waterbak van klei in de hoek van de keuken staan. Ernaast lag altijd een bord met een beker erop. Als ik het erg warm had, was er niets heerlijkers dan in de donkere keuken een beker koud water in één teug leeg te drinken.

Alle meisjes hielpen met de maaltijden. We maakten kissra, aubergine en pindakaas, grilden vlees boven een houtskooloven en deden de afwas in een teil. We hadden een tafel waar we allemaal aan konden zitten. In onze buurt kweekte iedereen groenten zoals okra, rucola en tomaten, omdat niemand geld had om ze te kopen. Winkelen deden we alleen op de markt, waar verkopers vanaf tafels vlees, groenten en fruit aan de man brachten. Er waren winkeltjes in de buurt die koude dranken en dat soort dingen verkochten, maar die konden wij ons maar zelden veroorloven.

Een van mijn favoriete gerechten was een stevige pindakaassalade. Ik sneed een paar tomaten en uien fijn en mengde er rucola en soms een fijngehakt groen pepertje door. Daarna maakte ik een vinaigrette van plantaardige olie, zout, versgeperst limoensap en een paar lepels versgemalen pindakaas. De salade met de vinaigrette verdeelde ik vervolgens over twee stokbroodhelften en dan hadden we een heerlijk avondmaal, vooral als je er nog een flinke scheut hete saus overheen deed.

We ontbeten niet, maar meestal at ik op school bonenstoofpot. 's Avonds aten we altijd met het hele gezin, waar ik erg van genoot. Meestal aten we linzensoep of okra met stoofpot van gedroogd rundvlees en als we geluk hadden kip of rijst, wat nog duurder was dan meel. We hebben heel wat afgelachen tijdens die maaltijden in de tuin. Op die manier konden we het volhouden. De tuin was nogal strak, met kale zandgrond en betonnen muren, maar we vrolijkten hem op door gebruikte jerrycans in bonte kleuren te schilderden en er rode, witte en paarse bloemen in te planten. De plantjes moesten we minimaal één keer per dag water geven omdat ze het in de hitte van de stad anders niet zouden overleven.

Mijn moeder controleerde streng met wie we omgingen en waar we heen gingen. 's Middags gingen we vaak naar een vriendin om naar een Egyptische comedyshow op televisie te kijken. In Khartoem werden er alleen tussen vijf uur 's middags en negen uur 's avonds programma's uitgezonden, dus de keus was beperkt. Op vrijdag – voor moslims de officiële rust- en gebedsdag – zond de televisie alleen gebeden in het Arabisch uit. Soms maakte ik huiswerk of las ik een tijdschrift, maar het liefst maakte ik in de tuin met mijn zussen nieuwe teksten op liedjes die we op school leerden. Een enkele keer speelden we trefbal. Maar over het algemeen was het leven in Karthoem vrij saai.

Ik had een goede vriendin, een Arabisch meisje dat bij ons in de buurt woonde. Mijn moeder vond het goed dat ik bij haar thuis speelde, dus we brachten veel tijd samen door. Ze leerde me beter Arabisch schrijven en we kwamen vaak bij elkaar over de vloer.

Haar moeder gaf ons altijd lekkere drankjes. Ik kwam graag bij hen thuis. Tot ik op een dag bij hen aanklopte en haar moeder de deur opende.

'Is ze thuis?' vroeg ik.

'Ja, maar ze kan vandaag niet spelen,' zei haar moeder. Ze maakte een nerveuze indruk.

'Waarom niet?'

'Ze is ziek.'

Iets in haar gezicht maakte dat ik me zorgen maakte om mijn vriendin. Ik voelde dat er iets niet klopte. Ik wilde haar zien maar wilde niet brutaal zijn.

'Wat is er gebeurd?' vroeg ik.

Haar moeder gaf geen antwoord. Ik werd bang.

'Ik wil haar zien.'

Haar moeder schudde haar hoofd.

'Alstublieft, heel even maar.'

Haar moeder wendde haar hoofd af, alsof ze wilde zeggen: Vooruit, maar ík heb je niet binnengelaten.

Ik rende langs haar heen naar binnen en trof mijn vriendin in bed aan. Ze had een angstige blik in haar ogen en zei geen woord. Haar lakens zaten vol bloed.

'Wat is er gebeurd?' vroeg ik.

Ze had tranen in haar ogen en staarde me wezenloos aan. Toen haar moeder binnenkwam, draaide ze haar gezicht naar de muur. Ik keek verward op naar haar moeder, want ik begreep er niets van. Maar in plaats van uitleg te geven, stuurde ze me weg. Buiten op straat bleef ik nog even beduusd staan, zoekend naar een verklaring.

Thuis vroeg ik aan mijn moeder wat er met mijn vriendin aan de hand was.

'Dat soort mensen doen hun dochters soms afgrijselijke dingen aan,' zei ze.

Ik vroeg haar om uitleg, maar ze wilde er niet over praten.

Ik kon het maar niet uit mijn hoofd zetten.

Toen ik de volgende dag weer bij mijn vriendin langsging, zei haar moeder dat ze te ziek was om bezoek te ontvangen. Ik ging terug naar huis en smeekte mijn moeder om een verklaring. Ik vertelde haar over de bloedvlekken in de lakens. Ze leek woedend, niet op mij maar op mijn vriendins familie. Haar vader was overleden.

Ze vertelde me dat het binnen sommige moslimfamilies traditie is om hun dochters te besnijden wanneer ze dertien worden. Ze verwijderen de genitaliën – zowel de clitoris als de schaamlippen – van het meisje, waarna de vagina met naald en draad wordt dichtgenaaid. Ik begreep amper waar ze het over had omdat ik maar weinig wist van het vrouwenlichaam. Toen mijn moeder zei dat er na de besnijdenis alleen een kleine opening overbleef om door te plassen, werd ik duizelig. Maar toen ik hoorde dat de vagina van de vrouw tijdens het baren van een kind moest worden opengesneden, werd ik woedend.

'Ik kan haar familie wel vermoorden,' zei ik.

'Ik snap wat je bedoelt,' zei mijn moeder.

Ze vertelde me dat de meisjes geen pijnstillers krijgen voordat ze worden besneden en dat ze vaak overlijden aan infecties. Het hoort allemaal bij 'het vrouw worden'.

Hoe konden ze mijn vriendin zoiets aandoen? Stel je voor dat je zo moest opgroeien. Dat je zo'n puberteit moest doormaken. Verschrikkelijk. Ze snijden in je vlees en gooien een deel van je lichaam weg.

'Wie doet de besnijdenis?' vroeg ik aan mijn moeder.

'Meestal wordt het door een vrouw gedaan,' zei ze. 'Er komt dan iemand langs met een scheermesje. Maar mannen vinden het ook belangrijk dat het gebeurt. In die kringen zal een man nooit trouwen met een meisje dat niet besneden is.'

'Doen Dinka het ook?'

'Wees maar niet bang. Niemand zal jou dat aandoen. Meisjes besnijden is niet gebruikelijk onder Dinka.'

Mijn vriendin herstelde en we bleven met elkaar omgaan. Ze sprak nooit over wat haar was aangedaan. Na die gebeurtenis wilde ik nooit meer bij haar spelen omdat ik haar moeder niet meer wilde zien. God heeft ons niet voor niets gemaakt zoals we zijn. Nog altijd worden er in heel Afrika vrouwen besneden. Ze hebben er last van met plassen, menstrueren en kinderen baren. Ze riskeren infecties en talloze andere problemen. Ze raken er geestelijk van in de war. Alleen al van de uitleg van mijn moeder kreeg ik een flinke knauw. Het maakte me opstandig.

Mijn oudere broer, Mayen, die twaalf jaar ouder is dan ik, had de gewoonte de baas over me te spelen. Zoals de meeste Soedanese mannen vond hij dat hij vrouwen kon commanderen. Op een dag, niet lang nadat mijn vriendin was besneden, beval hij me te gaan afwassen in de keuken. Ik zei dat ik het zat was en zette hem op zijn nummer, waarbij ik aardig wat scheldwoorden gebruikte, wat bij ons thuis verboden was. Hij was verbijsterd, maar in plaats van te zeggen dat ik niet mocht vloeken, trok hij woedend zijn riem uit zijn broek en begon me te slaan. Dat pikte ik niet, dus ik rende overstuur onze tuin uit en barstte enkele straten verder op een muurtje in huilen uit. Ik bleef uren weg, totdat het zo donker was dat ik bang werd. Toen ik thuiskwam lag iedereen te slapen, behalve mijn moeder, die op me had gewacht. Ze gaf me iets te eten en hield mijn hand vast totdat ik in slaap viel.

Elke maand ontvingen we geld van mijn zus in Londen en mijn vader kreeg een maandelijkse uitkering van de staat van tien pond, die echter na zijn dood werd stopgezet. Mijn moeder moest op allerlei manieren proberen een centje bij te verdienen. Volgens de sharia, die nog altijd in Khartoem gold, was het drinken van alcohol ten strengste verboden en de straffen die erop stonden waren fors. Uiteraard werd er in Soedan, zoals overal ter wereld, nog altijd graag alcohol gedronken. Mijn moeder zag haar kans schoon.

Ze bouwde een eenvoudig distilleertoestel, zoals het vat dat ze in Wau had gebruikt. Daarmee kon ze uit diverse graansoorten ongeveer een kleine fles drank per dag brouwen. Een van mijn tantes bood aan de flessen te verkopen onder haar kennissen. Tegen de tijd dat de flessen aan mijn tante moesten worden geleverd, waren we allemaal doodsbang dat mijn moeder door de politie zou worden opgepakt en in de gevangenis zou worden gezet. We konden het niet riskeren haar kwijt te raken. Daarom stelde ik voor dat ík de flessen naar de andere kant van de stad zou brengen.

'Een kind zullen ze er niet snel van verdenken drank te smokkelen,' zei ik.

Mijn moeder stemde toe. We goten de drank over in kleine flessen, die we in papier wikkelden om te voorkomen dat ze te veel lawaai zouden maken. Vervolgens stopte ik ze in een tas en bedekte ze met een lap stof, zodat het leek alsof ik op de markt inkopen had gedaan. Toen het zover was en ik met een van mijn broers op pad ging, brak het koude zweet me uit. Terwijl ik met de tas in mijn hand naar de bushalte liep, zag ik op de hoek van de straat een politieagent staan. Het liefst was ik terug naar huis gerend, maar ik dwong mezelf door te lopen. Toen de agent me aanstaarde boog ik onderdanig mijn hoofd en liep starend naar de grond langs hem heen. Hij zei niets.

Na een tijdje begon ik me sterker te voelen omdat ik besefte dat ik iets deed wat streng verboden was. Mensen die alcohol dronken werden in het openbaar met leren zwepen gegeseld.

Zonder moeilijkheden bereikten we het huis van mijn tante.

'Dat zo'n jong meisje zo'n mannenklus aandurft,' zei ze.

Toen ik thuiskwam zag mijn moeder lijkbleek van angst.

'Dat doen we nooit weer,' zei ze. 'En ik maak ook geen drank meer. We moeten op een andere manier geld zien te verdienen.'

Ik was besmet met het handelsvirus en probeerde manieren te verzinnen om aan geld te komen. Mijn vriendinnen en ik schraapten altijd elke cent bij elkaar om *pasali*, zoute pompoenzaden, te kopen van straatverkopers. Ik besefte dat ik mijn geld niet hoefde op te maken aan geroosterde pompoenzaden en dat ik ze beter zelf kon roosteren. Op die manier kon ik een deel ervan verkopen en de rest zelf opeten.

Ik kocht zaden, roosterde ze en verkocht ze in papieren zakjes op school. Het verbaasde me dat geld verdienen zo makkelijk was. Elke dag kwam ik met geld thuis, dat ik netjes aan mijn moeder gaf. Ze vond het een veel verstandigere manier om aan geld te komen.

Mijn psoriasis bleef mijn huid teisteren. Elke dag schraapte mijn moeder de schilfers er met een scherp mes af. Ik leek wel een slang, zoals ik mijn huid afwierp. Vooral op mijn hoofd was het erg. Ze scheerde me kaal en smeerde mijn schedel in met vaseline en medicinale zalf. Niets hielp. Mijn handpalmen waren tot bloedens toe gebarsten. Dat was lastig, vooral op school.

Ik ging naar een school voor immigranten aan de rand van de stad, zo'n drie kwartier lopen vanaf ons huis. Hij lag in een buurt waar mensen in hutten van karton en verroest metaal woonden. Het was een arme school die snel uit de grond was gestampt, maar hij was in elk geval beter dan de school waar een van mijn zussen op zat. Zij moest elke dag haar eigen klapstoel heen en weer naar school slepen omdat hij 's nachts uit het klaslokaal gestolen kon worden. Op mijn school hadden we tenminste bankjes die in de klassen bleven staan. Maar de buurt was slechter dan die waarin wij woonden. Ik voelde me elke keer weer rijk als ik na school thuiskwam, want op weg naar huis kwam ik langs bouwvallige hutten waarin mensen woonden die me met een wanhopige blik in hun ogen aankeken.

Op mijn school werd in het Arabisch lesgegeven en lag de nadruk op islamitische leerstellingen. Lijfstraffen waren heel gewoon. Wanneer ik te laat kwam of iets fout deed, vroeg de leraar me te gaan staan en mijn handpalmen omhoog te houden zodat hij me kon slaan. Dat gebeurde best vaak. Omdat mijn huid al door de psoriasis was aangetast, kwam ik regelmatig met bloedende handen thuis. Een van mijn pezen is zelfs zo beschadigd dat ik nog altijd mijn wijsvinger niet kan strekken omdat het weefsel destijds niet goed is geheeld.

Mijn moeder maakte zich vreselijk zorgen om me. De bedoeling was dat we allemaal naar Londen zouden vertrekken zodra de mogelijkheid zich voordeed, maar omdat ze vond dat ik zo snel mogelijk voor mijn psoriasis moest worden behandeld, besloot ze mij als eerste te laten gaan. Voor mijn zus was het relatief gemakkelijk om een vluchtelingenvisum voor mij te regelen omdat ik nog een kind was. Aan mij werden minder strenge eisen gesteld als aan mijn vader. Ik vond het spannend om mijn zus weer te zien. Naar Londen gaan was een droom. Om te beginnen moest ik een paspoort zien te krijgen. Dat betekende dat ik eerst moest uitzoeken wanneer ik was geboren.

7

Ik weet niet precies wanneer ik geboren ben, behalve dat het in het regenseizoen moet zijn geweest. In mijn cultuur worden verjaardagen over het algemeen niet geregistreerd. Ongeveer veertien jaar nadat mijn moeder van mij beviel in Wau, had ik een identiteitskaart en een paspoort nodig om naar Engeland te kunnen gaan. Om die reden moesten we een geboortedatum prikken. We kozen voor zestien april, een datum midden in het regenseizoen. Ik liet mezelf fotograferen door een straatfotograaf. Mijn broer Wek bracht de foto naar het politiebureau in Khartoem waar mijn identiteitskaart zou worden gemaakt. Ze hebben me daar nooit in levenden lijve gezien en op grond van de foto van een lang, mager kind met kort haar werd verondersteld dat ik een jongen was. Op mijn eerste officiële document stond ik als jongen met een verzonnen geboortedatum te boek. Gelukkig kon mijn broer de identiteitskaart nog laten veranderen en uiteindelijk kreeg ik ook een paspoort.

Gewapend met onze reisdocumenten vroegen mijn zus Athieng en ik de vluchtelingendocumenten aan waarmee we Afrika konden verlaten. We wilden naar Londen om bij onze zus Ajok te gaan wonen. Ik had haar al vanaf jonge leeftijd niet meer gezien. Het was de bedoeling dat we naar een school vlak bij Ajoks flat in Hackney, Oost-Londen, zouden gaan. Ik zou haar helpen bij de verzorging van haar kinderen en Engels leren. Ook zou ik een baantje zoeken en samen met mijn zus geld sparen waarmee we de rest van onze familie konden laten overkomen.

In Soedan was er weinig om voor te blijven. Na tientallen jaren van oorlog lag de economie plat. Mijn vader was dood. Er viel weinig in te pakken voor de reis, want Athieng en ik bezaten nauwelijks iets. Een jurk, slippers en ondergoed, dat was ongeveer alles wat ik meenam. De weinige spullen die ik in de loop der jaren had verzameld liet ik achter voor mijn broers en zussen en werd onder hen verdeeld. Ik ging immers naar het welvarende Westen.

'Laat het toch hier, Alek. Als je in Londen bent, kun je alles krijgen wat je wilt. En wij blijven hier en hebben niks,' zei een van mijn jongere zussen terwijl ik mijn tas inpakte. Ze wilde graag een haarspeldje hebben dat ik al jaren had.

'Zorg dat je snel een jas koopt daar. In Londen is het ijskoud,' zei Deng.

De laatste avond die ik met mijn familie doorbracht wekte zowel ontroering als verdriet bij me op. Het vooruitzicht mijn moeder te moeten achterlaten drukte zwaar op me. Maar die avond probeerden Athieng en ik met verhalen en gekke liedjes de stemming erin te houden. We aten een heerlijke stoofschotel waar we kissra in dipten. Wat zou ik iedereen gaan missen! Na het eten moest ik me van mijn moeder gaan douchen. Voor haar was een verzorgd uiterlijk erg belangrijk. Of ik nu bij de buren op visite ging of de halve wereld over reisde, ze wilde dat ik er netjes uitzag om de naam van onze familie hoog te houden. Ik droeg een paarse rok en een paars truitje dat mijn moeder speciaal voor de gelegenheid had gekocht.

Keurig aangekleed reed ik met mijn moeder en de rest van de familie in een auto van de buren naar het vliegveld. De straten van Khartoem werden door de sterren verlicht. In die tijd was er nog geen straatverlichting in de stad en er was ook bijna niemand 's nachts op straat. Het leek wel een andere planeet, een planeet van de gedoemden. Ik was veertien en begon, voor de derde keer in mijn nog korte bestaan, aan een nieuw leven.

Ik had geen flauw idee hoe lang mijn reis uiteindelijk zou duren. We passeerden hutjes en bedrijfspanden met gevels van ijzeren golfplaten, uitgestrekte marktpleinen met houten kraampjes en goedkope Soedanese koopwaar die verspreid over de grond lag. Er was geen sterveling te zien. Op een zeker moment raakte ik in paniek. Ineens wilde ik helemaal niet meer naar Londen. Ik keek mijn moeder aan en kon wel huilen. Maar daar schoot ik niets mee op. Ik stak mijn gezicht door het open raampje zodat de wind mijn verhitte gezicht kon afkoelen. Maar de warme avondwind gaf geen soelaas. De temperatuur was van 43 °C overdag gezakt naar 40,5 °C. Het stof van de laatste storm hing nog steeds in de lucht. In Khartoem regende het zelden. We kenden alleen haboobs, zandstormen met grote wolken verstikkend zand en rood stof. Tegen de tijd dat we bij het vliegveld waren, was de voorruit bedekt met zandstof. Ook mijn huid en kleren zaten vol stof.

Athieng en ik hadden, behalve de gelukwensen van onze familie, nauwelijks bagage bij ons. Toen ik afscheid van iedereen had genomen, zei mijn broer Mayen: 'Verlies je paspoort en je ticket niet. Anders kom je Londen niet in en sturen ze je terug naar Soedan.'

Soedan was het land van mijn voorouders, de bodem waarop ons vee graasde, het land waar onze geesten leefden. Maar toch wilde ik niet rechtsomkeert maken.

Nu was ik officieel een vluchteling. Ik had slechts een klein tasje bij me, een paspoort, een ticket en een beetje geld.

Ik ontvluchtte een gebied waar het leger, milities en rebellen elkaar naar het leven stonden en iedereen – mannen, vrouwen, kinderen – vermoordden die hen dwarsboomden in hun zucht naar macht. Ik had genoeg lijken gezien, met name die op de heuvel achter de put waar ik in Wau altijd water haalde lagen te rotten. Ik had genoeg van de dood – ik wilde leven.

Bij de gate namen Athieng en ik definitief afscheid van onze familie.

'Tot over een paar maanden, mama,' zei ik.

Met onze documenten in onze handen geklemd alsof het juwelen waren schoof ik mijn zusje voor me uit.

'Tickets en paspoorten alstublieft,' zei de stewardess.

'Nee,' antwoordde ik. 'Die zijn van mij.'

'Wat?'

'Ik mag ze niet verliezen van mijn broer.'

'Ik hoef ze alleen maar eventjes in te kijken.'

Hoewel ik bang was dat ik mijn papieren niet meer terug zou krijgen, gaf ik ze toch aan de stewardess. Ze bekeek me van top tot teen alsof ik van het platteland kwam, wat, in zekere zin, ook waar was. Ik wist niets van internationale vluchten, paspoorten en dergelijke.

De stewardessen probeerden ons op ons gemak te stellen. Ze serveerden ons croissants, maar Athieng en ik waren niet gewend aan dat soort voedsel, dus we kregen buikpijn. Toen ik naar het toilet ging, besefte ik dat er nog meer dingen waren waarvan ik niets afwist. De wc bijvoorbeeld was voor mij net zo mysterieus als een wetenschappelijk laboratorium. Ik begreep er niets van. In mijn hele leven had ik misschien twee keer een doorspoeltoilet gezien, dus ik begreep het principe wel, maar wist niet wat ik moest doen. Waar was de spoelknop? De aanwijzingen waren in het Engels, niet in het Arabisch, dus ik kon ze niet lezen. En dan het papier – thuis gebruikten we oude kranten of bladeren. Ik was niet gewend aan fijne tissues. Ik durfde niemand om hulp te vragen. Ik was wanhopig en maakte me ook zorgen over mijn zusje die ik had achtergelaten. Tot mijn grote opluchting kreeg ik ten slotte uitleg van een stewardess.

De rest van de vlucht bleef ik klaarwakker op mijn stoel zitten. Terwijl we door de donkere nacht vlogen, staarde ik in het raampje naar de lichtjes op de vleugel. Ik dacht aan Ajok, die ik al zo lang niet meer had gezien. Ik dacht aan mijn toekomstmogelijkheden. Ik ging een totaal ander leven tegemoet dan ik had gekend.

We landden in Frankfurt, waar we moesten overstappen op een aansluitende vlucht. Toen we van boord gingen, was de frisse voorjaarslucht een klap in mijn gezicht. Koude lucht kende ik niet. Ik droeg nog steeds mijn hittegolfkleren uit Khartoem en had niets warms bij me. Een stewardess begeleidde ons naar het andere vliegtuig, wat we anders nooit hadden gevonden: het vliegveld was immens groot en wij spraken alleen maar Dinka en Arabisch. Toen we in Londen geland waren, werd er een trap voor het toestel gezet. We daalden af, de vochtige, koele lucht tegemoet. Ik had geen flauw idee waar we heen moesten, dus volgden Athieng en ik de andere passagiers die in een bus stapten. Ik was bang dat we iets verkeerd deden, maar ik liet dat niet merken omdat ik mijn zus geen angst wilde aanjagen. Bij de immigratiedienst was iedereen blank. Ik had nog nooit zoveel blanken bij elkaar gezien. De beambten brachten ons naar een kamer waar Ajok ons in tranen opwachtte. Ze had haar familie in jaren niet gezien.

Toen we even later naar de trein liepen, had ik het ijskoud.

'Het is juni,' zei ik verbaasd. 'Dan moet het toch warm zijn.'

'Voor Engelse begrippen is dit warm,' zei mijn zus lachend.

'Ik ben niet gewend aan kou.'

'Daar raak je nooit aan gewend.'

We namen de trein naar Londen. Ik nam alle indrukken als een spons in me op. Ik verbaasde me over de luchtspoorweg waarover de trein reed en over de mensen, die me allemaal zo vreemd voorkwamen. Plotseling kwam er een man met een fiets de trein in. Hij droeg een nauwsluitende broek en dito shirt. Beschaamd wendde ik mijn blik af. Wie liep er nu zó bij in het openbaar? Alles was hier zo anders dan in Soedan. En zo anders dan ik had verwacht.

Op de foto's van Europa en Amerika, die ik in Soedan in tijdschriften had gezien, leek alles hetzelfde: de mensen, de gebouwen, het straatbeeld. Ik kon bijvoorbeeld het verschil niet zien tussen Engeland en Italië. Het zag er allemaal schoon, luxueus en vreemd uit. Het was allemaal dezelfde rijkdom.

In de trein kwam ik erachter dat mijn ideeën over Engeland niet klopten. Ook al was het maar een kort ritje vanaf het vliegveld, toch zag ik dat sommige delen van de stad er armoedig uitzagen, met vervallen gebouwen en defecte straatverlichting. Andere wijken zagen er veel schoner, ordelijker en welvarender uit. Op dezelfde manier zullen mensen uit het Westen naar Afrika kijken. Hun ideeën over mijn continent zijn gebaseerd op foto's die ze hebben gezien. Ze denken dat alle Afrikaanse landen hetzelfde zijn. Ze denken dat we allemaal arme, ongeletterde boeren zijn, die elkaar naar het leven staan, dat we allemaal op qat kauwen en over onverharde wegen lopen. Ze zien ons niet als individuen.

Ik vond het fascinerend om door het treinraampje naar de reclameborden te kijken. Ik had geen enkele aandacht voor de modellen die voor de foto's hadden geposeerd. Ik was alleen maar bezig met te bedenken voor welk product reclame werd gemaakt. Het kwam al helemaal niet in me op dat ikzelf op een dag ook op zo'n foto zou prijken.

Mijn zus woonde op de derde verdieping van een flatgebouw. Athieng en ik verbaasden ons erover dat mensen zo hoog konden wonen. De eerste nacht bleven we lang op om uit het raam te kijken en de beelden van de straat beneden ons in ons op te nemen. Ook op de verwarming, het fornuis, het aanrecht en de badkamer raakten we niet uitgekeken. Ik bracht veel tijd door in de badkamer, die in mijn ogen pure luxe vertegenwoordigde. Ik nam een warm bad of waste langzaam mijn handen. Ik kon het gewoon niet geloven.

Het was heerlijk om bij mijn zus te wonen. Ze maakte stoofschotels van gedroogde okra, die Athieng en ik samen met haar en haar man en vier nichtjes en neefjes opaten. Na een paar dagen te hebben uitgerust wilde ik graag een handje helpen en bood aan de boodschappen te doen. Mijn zus gaf me twintig pond en stuurde haar kinderen met me mee om me wegwijs te maken. Toen al noemde ik mijn neefjes en nichtjes 'kleine lastpakken' omdat ze, zoals alle kinderen, soms best ongehoorzaam waren. Maar toch vonden we het fijn om bij elkaar te zijn.

Mijn verbazing kende geen grenzen toen ik de supermarkt zag. Ik vond het al vreemd om een winkel binnen te gaan. In Soedan zijn winkels gewone huisjes, waar je op het raam klopt en bijvoorbeeld om een stuk zeep vraagt. 'Kom maar, tante,' zei een van mijn neefjes. 'Je kunt gewoon naar binnen gaan en boodschappen doen.'

Eenmaal binnen keek ik stomverbaasd naar de hoeveelheid producten waar je uit kon kiezen. Ik begreep niet dat mensen zoveel nodig konden hebben. Ik hoefde alleen maar okra en uien, maar ik kon ineens uit zeven of acht soorten uien kiezen. Verschillende soorten selderij. Een heel schap met chocolade. In Soedan kreeg ik misschien één keer per jaar chocola, bij speciale gelegenheden, en hier was een hele afdeling chocolade. Ik moest mezelf tot kalmte manen. 'Alek,' zei ik in mezelf, 'dit is je nieuwe wereld. Je moet alles nog leren.'

We vonden wat we nodig hadden en mijn neven liepen met me naar de kassa. Omdat ik zo onder de indruk was van de overdaad, was ik op een of andere manier het briefje van twintig pond kwijtgeraakt, dat ik van mijn zus had gekregen. Ik schaamde me dood en was bang voor de reactie van mijn zus als we thuis zouden komen. Maar ze sloeg me niet of zoiets. Ze zei alleen maar dat ik de volgende keer voorzichtiger moest zijn.

Ik ging meteen door naar de kamer die ik met Athieng deelde en vertelde haar wat ik had gezien.

'Stapels chocolade, zo hoog!' zei ik. 'Je gelooft je ogen niet.' Haar ogen lichtten op, maar toch was ze nog te bang om met mij naar de supermarkt te gaan.

Het eten in Engeland bleef me verbazen. Drie maaltijden per dag was voor mij een ongekende luxe. Ik was dol op de schoollunches. Daar kreeg ik meestal een stuk vlees of een vegetarische schotel, met frites erbij en pakjes vruchtensap. Veel kinderen op die school namen daar geen genoegen mee en gingen lunchen in een fastfoodrestaurant. Daardoor kreeg ik de indruk dat Engelse kinderen behoorlijk verwend zijn. Anderzijds konden ze ook niet veel hoogte van mij krijgen. Om te beginnen zag ik er anders uit. Omdat ik zo donker ben, noemden ze me 'roetmop'. Ze lachten me overal om uit, ook al waren velen van hen zelf van Afrikaanse afkomst. Zij waren echter in Engeland opgegroeid en spraken vloeiend Engels, en dat moest ik nog leren.

Athieng en ik werden allebei in een klas gezet die bij onze leeftijd hoorde. Gelukkig kregen we een onderwijsassistent toegewezen om ons extra hulp te geven. Die assistent was haar gewicht in goud waard. Algauw kon ik Engels spreken en lezen. Nog voor ik ooit van Shakespeare had gehoord, kreeg ik al les in Engelse literatuur. Ook wiskunde vond ik een uitdagend vak. Ik was leergierig en wilde de kansen die ik kreeg ten volle benutten.

Aanvankelijk werd ik geplaagd vanwege mijn schilferige huid, waardoor ik er inderdaad als een hagedis uitzag. Tot mijn grote verbazing begon mijn psoriasis, waarvan ik al sinds mijn babytijd last had, drie weken na mijn aankomst in Londen langzaam weg te trekken. Elke dag stond ik voor de spiegel mijn gezicht te bekijken. Ik kon bijna niet geloven wat ik zag: mijn huid werd gladder. Na een paar maanden was de uitslag compleet verdwenen. Volgens sommige artsen lag dat aan de verandering van klimaat, van het droge Soedan naar het vochtige Engeland. Anderen beweerden dat het kwam omdat de stress uit mijn leven verdwenen was. De oorzaak kon natuurlijk ook liggen in het feit dat ik in die periode in de puberteit kwam.

Wat de oorzaak ook was, ik was dolblij. Het was sowieso niet makkelijk om me als tiener staande te houden in een nieuwe, vreemde stad. Ik had een paar vriendinnen, maar over het algemeen voelde ik me geïsoleerd. Terwijl mijn klasgenoten naar feestjes gingen, zat ik thuis om op de kinderen van mijn zus te passen.

Naarmate mijn huid gaver werd, voelde ik me minder opgelaten. Ik maakte makkelijker vrienden. In die periode waren er nog niet veel Soedanezen in Engeland – in elk geval veel minder dan de twintigduizend die er nu wonen. Mijn familie kende een kleine gemeenschap van landgenoten, met wie goed contact werd onderhouden. Als er iemand trouwde, werden alle bannelingen voor het feest uitgenodigd. Ik sloot vriendschap met een paar Soedanese leeftijdgenootjes, en mijn oudste zus, die me als een havik in de gaten hield, vertrouwde erop dat zij me niet in de problemen zouden brengen. De Soedanese meisjes begrepen wat ik doormaakte en hielpen me mijn weg in Londen te vinden.

Niet dat ik zoveel uitging. Mijn zus en haar man hadden vier kinderen: twee meisjes, Aman en Awood, en twee jongens, genaamd Lual en Tong. Allebei werkten ze 's avonds; mijn zus in een hotel en mijn zwager als beveiligingsbeambte. Ze hadden mijn hulp nodig. Als ik uit school kwam, kookte ik voor de kinderen en paste op hen. De kinderen waren niet makkelijk. Als ik ze karweitjes wilde laten doen, zoals de tafel afruimen en hun kamer opruimen, dreigden ze dat ze hun moeder zouden vertellen dat ik hen sloeg. Soms liepen ze gewoon weg terwijl ik tegen ze stond te praten. Het was geestelijk en emotioneel uitputtend. Ik was immers pas veertien. Maar mijn zus had me nodig, dus ik klaagde niet.

Behalve de spanningen die het leven in een nieuwe stad met zich meebracht, werd het langzaam duidelijk dat mijn moeder voorlopig niet uit Soedan zou kunnen vertrekken. Het was moeilijk de benodigde papieren te krijgen en nog moeilijker om het geld ervoor te regelen. Ze had geen telefoon en de postbezorging was niet betrouwbaar in Soedan. De enige manier om met haar te communiceren was via berichten die we aan een vriend stuurden, die in een chic hotel in Khartoem werkte. Naar hem stuurde mijn zus ook altijd geld dat voor mijn moeder bestemd was.

Algauw begon ik me schuldig te voelen omdat ik bij mijn zus in de kost was zonder dat ik aan haar of mijn moeder een financiële bijdrage leverde. Daarom ging ik 's ochtends en in de weekends als vakkenvuller in een supermarkt aan de slag. Ik was de laagste in rang, maar op een dag haalde mijn afdelingsleider een grap met me uit. Hij gaf me een t-shirt met de tekst 'Hoofd Personeelszaken' erop. Ik begreep de grap niet, en toen de hoogste baas zag dat ik dat t-shirt droeg, werd hij kwaad. 'Waarom heb je dat t-shirt aan?' vroeg hij. Een jaar later kreeg ik promotie en kreeg ik het t-shirt weer terug.

Na het baantje in de supermarkt ging ik een tijdje aan de slag in een fotokopieerwinkel, waar ik de winkel netjes hield en met de computer leerde omgaan. Ik was inmiddels zestien en mijn moeder zag kans Soedan te ontvluchten, samen met drie van mijn andere broertjes en zusjes. Ik was dolgelukkig toen ik haar weer zag. We hadden bijna twee jaar nauwelijks een woord met elkaar gewisseld.

Ze zag er goed uit en was verbaasd te zien hoezeer ik was veranderd. Ik sprak goed Engels, dus op dat vlak leunde ze op mij. Athieng trok bij haar in, maar ik bleef nog een tijdje bij Ajok om haar met de kinderen te helpen. Ik vond het erg dat ik niet bij mijn moeder kon zijn, maar mijn zus had me nodig. Na ongeveer een jaar ging ik bij mijn zus weg en trok eindelijk bij mijn moeder in.

Het was heerlijk om zoveel familie om me heen te hebben. Helaas werden mijn broer Mayen en mijn zus Adaw, die inmiddels allebei boven de achttien waren, uitgesloten voor een gezinsvisum. Toen Mayen voor zichzelf een visum aanvroeg, werd hij geweigerd. Hij moest in Khartoem blijven en omdat de regering wist dat zijn familie was gevlucht, werd hij door de politie gezocht als familielid van verraders. Hij werd gevangengenomen en mishandeld. Het moet een vreselijke periode voor hem zijn geweest, maar hij heeft er nooit over gesproken. De autoriteiten waren milder voor Adaw. Jaren later lukte het Mayen en Adaw naar Canada uit te wijken, maar vooral Mayen was onmiskenbaar beschadigd door het geweld dat hem was aangedaan.

Mijn moeder paste zich vrij snel aan, hoewel dat voor een volwassene moeilijker was dan voor ons, kinderen. Ze legde contact met een aantal andere Soedanese vrouwen, met wie ze hecht bevriend raakte. Ze konden hun gevoelens en ervaringen beter met elkaar delen dan ooit met Engelsen of immigranten uit andere landen mogelijk was geweest. Met deze vrouwen, van wie velen ook hun man in Soedan hadden verloren, voelde mijn moeder zich minder eenzaam.

Afrikaanse gebruiken werden door de Soedanese vrouwen in ere hersteld. Tot mijn verbazing ontdekten ze een manier om okra te drogen. Engeland staat nu eenmaal niet bekend om zijn hoge aantal zonne-uren. Daarom werd de okra langzaam gedroogd boven het vuur van het fornuis. Na al die jaren dat ik uit Soedan weg was, vond ik het heerlijk om weer gedroogde okra te kunnen eten.

Ik probeerde mijn neefjes en nichtjes, die nog nooit een voet in Afrika hadden gezet, de groenten voor te zetten, maar ze haalden hun neus ervoor op.

'Tante, wat is dat?'

'Stoofschotel van gedroogde okra.'

'Bah, dat vinden we niet lekker,' zei een van hen. 'Dat eten we niet.'

'Oké, maar je weet niet wat je mist.'

In mijn laatste jaar van de middelbare school ging ik met mijn klas een kijkje nemen bij verschillende universiteiten, inclusief Cambridge en Oxford. Tijdens een bezoek aan het London Institute wist ik plotseling wat ik wilde gaan studeren. Ik had altijd al veel getekend en beeldjes van klei gemaakt. En ineens zag ik mensen die hun leven aan de kunst wijdden. Dat raakte me diep en ik besloot me voor de kunstacademie in te schrijven. Mijn moeder begreep niet helemaal waarom ik beeldende kunst wilde gaan studeren in plaats van economie, geneeskunde of een andere studierichting die immigrantenouders hun kinderen graag zien kiezen, maar ze liet me mijn gang gaan.

Ik werd met een beurs aangenomen op het London Institute en begon in 1994 met de eerste colleges. Het was een fantastische opleiding. Ik hield van schilderen en was elke dag uren in het atelier aan het werk. In de avonduren nam ik zangles. Mijn familie kon nu geen bezwaar maken wanneer ik 's avonds uit wilde gaan. Ik ging immers zingen. Ze hadden er minder moeite mee om me vrij te laten nu ik een hobby had. Het was heus niet zo dat ik tot diep in de nacht in Zuid-Londen rondhing, maar ik had in elk geval de kans om het uitgaansleven te leren kennen.

Om mijn dure schilderspullen te kunnen bekostigen had ik geld nodig. Ik vond een baantje bij de BBC. Dat lijkt misschien heel wat, maar het kwam erop neer dat ik toiletten moest schoonmaken. Elke ochtend stond ik om vier uur op om naar mijn werk te gaan. Hoewel de kachel brandde, leek het in mijn slaapkamer nooit warm te worden. Elke ochtend vergde het grote discipline om in de kou te moeten opstaan om toiletten schoon te maken. Ik besefte toen al dat wanneer ik iets wilde bereiken, ik er zelf achteraan moest. Dat baantje was mijn beleggingsfonds. Maar leuk vond ik het niet.

Soms liep ik een toilet binnen en dacht: mijn god, hoe kan iemand zo smerig zijn. Het was soms echt te erg voor woorden. Mijn supervisor was een nare vrouw die me aankeek met een blik alsof ik een stuk vuil was. Zodra mijn dienst erop zat, ging ik naar de academie, vervolgens naar huis om voor de kinderen van mijn zus te zorgen. Uiteindelijk zei ik op een ijzig koude ochtend tegen mezelf: 'Nou is het genoeg geweest.' Ik zei mijn baantje op.

Ik vond een andere baan in een kapsalon. Ik moest de klanten van koffie en thee voorzien, het haar opvegen en voorraden uit de kelder halen. De eigenaar was een echte cockney met een zwaar accent en de harde mentaliteit van iemand die had moeten vechten voor alles wat hij bezat.

'Mooi,' zei hij toen hij me aannam. 'Ik ben heel blij dat je hier komt werken.'

Hij waardeerde mensen die van aanpakken wisten, zoals ik. Misschien zag hij iets van zichzelf in mij, een Dinkameisje dat naar Londen was gekomen, zichzelf Engels had geleerd en de kunstacademie volgde. Per slot van rekening was hij in East End opgegroeid en had hij zichzelf omhooggewerkt. Nu lieten rijke mensen in Los Angeles of New York hem invliegen alleen om hun haar te laten knippen. Maar ook voor hem gold: hoe rijk hij ook was, een cockney was en bleef hij. Zo zat de Engelse maatschappij nu eenmaal in elkaar. Net zoals ik altijd gezien zou worden als een primitief Afrikaans meisje, wat ik ook in mijn leven zou presteren.

Ik zei niet veel in de kapsalon. De andere werknemers wisten dan ook niet precies hoe ik in Londen terecht was gekomen. Sommige klanten spraken Arabisch en soms hoorde ik hen over mij roddelen. 'Wie is dat magere meisje eigenlijk? Er dreef een haar in de thee die ze me bracht.' Ze schrokken zich te pletter toen ik in het Arabisch antwoord gaf. 'Praat niet zo over me, alstublieft.' Algauw werd ik door de baas gepromoveerd tot shampoomeisje. Haren wassen was niet altijd een pretje. Het haar van sommige vrouwen was af en toe gewoonweg smerig. Maar het was werk en het was net iets beter dan toiletten schoonmaken.

Mijn moeder hield me erg kort. Ze wilde niet dat ik naar feestjes ging. Een vriendje was al helemaal ondenkbaar. Dat zou ze nooit goed hebben gevonden. Ik had een goede vriendin. Een Engels meisje dat ik van school kende.

Ik herinner me dat ze een keer tegen me zei: 'Dus jij mag niet met jongens omgaan van je moeder? Ze laat je niet naar feestjes gaan? Je mag helemaal niks?'

Omdat ik dacht dat ze me bekritiseerde, schoot ik in de verdediging. Later begreep ik dat ze iets anders bedoelde. Ze vond het juist geweldig dat mijn moeder me zo beschermde. Haar ouders waren heel anders. Haar moeder kwam uit Singapore en haar vader uit India. Mijn vriendin was niet alleen beeldschoon, maar ook erg intelligent. Je zou denken dat alles haar meezat. Haar ouders waren gescheiden en werden zozeer door hun eigen problemen in beslag genomen dat mijn vriendin in wezen zichzelf moest opvoeden. Ze kreeg geen enkele begeleiding. Ik denk dat dat een schaduw wierp op elk aspect van haar leven. Zelfs wanneer ze plezier maakte, straalde ze iets verdrietigs uit dat ze niet leek te kunnen maskeren.

Met mijn vriendin heb ik ontzettend veel gelachen. Ik begreep haar en zij begreep mij. We vulden elkaar heel goed aan. Voor goede raad kon ik altijd bij haar aankloppen.

Op een weekend in 1995 nodigde ze me uit om mee te gaan naar

Crystal Palace Park in Zuid-Londen, waar door een van de lokale radiozenders een straatmarkt werd georganiseerd. We gingen er met de bus naartoe en liepen wat rond over de markt. Net toen we stonden te twijfelen of we een hotdog of een suikerspin zouden kopen, werd ik plotseling aangesproken door een kleine, blonde vrouw. 'Heb je er wel eens aan gedacht om model te worden?' vroeg ze. Ik bloosde, maar dat kon ze waarschijnlijk niet zien omdat mijn huid zo donker is. Toch was het zo, ik werd knalrood. Mijn vriendin was verbijsterd. We hadden altijd gedacht dat zij van ons tweeën de mooiste was, niet ik. 'Hier heb je mijn kaartje,' zei de vrouw. 'Je moet echt een keer langskomen. Dan kun je Nigel ontmoeten, hij is een agent met wie ik samenwerk.'

'Ik weet niet of ik dat van mijn moeder mag,' zei ik.

'Nou, ik denk dat je het heel ver kunt schoppen. Vind je het erg als ik een foto van je neem?'

Ze nam een foto van me en toen ze wegliep, maakte ze een gebaar met haar hand bij haar oor en mimede: 'Bel me.'

Ik viel bijna flauw, midden in Crystal Palace Park.

'Wauw! Wat vind je daarvan?' zei ik.

Ik had geen verstand van modellenwerk, maar mijn vriendin bekeek het kaartje waarop *Models 1* stond.

'Dat is een topbureau! Wat geweldig!'

'Wat doen ze daar?'

'Daar maken ze een topmodel van je.'

'Een wat?'

'Een topmodel, Alek. Je komt op de covers van tijdschriften te staan. Je gaat reclamecampagnes doen.'

Even stelde ik me voor dat ik op de televisie kwam. Dat zou wel heel erg leuk zijn. Maar ik zei niets.

'Ik?' zei ik. 'Doe niet zo raar.'

Ik had er nooit aan gedacht om model te worden. Vóór mijn komst naar Londen wist ik niet eens dat ze bestonden. Ik betaalde voor twee suikerspinnen voor ons beiden. Later, toen ik afscheid nam van van mijn vriendin, wierp ze me een eigenaardige blik toe.

'Je gaat haar niet bellen, hè?'

'Eh...'

'Als je haar niet belt, vermoord ik je,' zei ze. 'Je bent gek als je het niet doet, Alek.'

'Ik zal het met mijn moeder bespreken.'

Thuis vertelde ik wat er was gebeurd. Mijn moeder keek me alleen maar aan met een blik waarmee ze wilde zeggen: 'Doe niet zo gek. Maak je studie af. Doe je werk en haal je niks in je hoofd.'

Ik werd verscheurd door twijfel. Eerst had mijn vriendin me aangemoedigd om er werk van te maken, nu veegde mijn moeder alle hoop van tafel. Uiteraard was ik meer geneigd mijn moeder te gehoorzamen dan iemand anders. Hoewel ze streng was, wilde ze alleen maar het beste voor me.

Ik ging gewoon weer naar school en werkte in de kapsalon. Zoals altijd paste ik op mijn neefjes en nichtjes. Ik gedroeg me als een voorbeeldig Dinkameisje. Ik legde het kaartje van het modellenbureau in de la van mijn nachtkastje. Ik belde niet. Het mocht niet zo zijn.

Twee weken later zei mijn moeder dat de scout van het modellenbureau had gebeld. Ze wilden dat ik een keer langskwam. Ik kon zien dat mijn moeder er iets milder over dacht. Ze verbood het me niet, maar evenmin zei ze met zoveel woorden dat ik het moest doen.

Weer ging de telefoon. Het was de scout.

'Hoe zit het nou?' vroeg ze. 'Ik dacht dat je langs zou komen.'

Het kwam niet vaak voor dat een meisje werd ontdekt en vervolgens niets meer van zich liet horen.

'Meen je het echt?' vroeg ik.

'Ik meen het echt, Alek. Volgens mij kun je het heel ver brengen,' zei ze in haar bekakte accent dat ik zo mooi vond.

'Kom, we gaan erheen,' zei ik tegen mijn zus. We gingen naar het bureau, waar we in de wachtkamer op chique, leren stoelen plaatsnamen. Aan de muur hingen de covers van *Elle* en *Vogue*. Mijn nieuwsgierigheid maakte plaats voor opwinding. Ik dacht: 'Kijk nou toch, al die meisjes zijn beroemde modellen. Hoor ik daar wel bij?' Mijn zus, die kennelijk mijn gedachten had gelezen, sprak me vermanend toe. 'Rustig aan, Alek.'

Even later leidde de scout ons naar een grote ruimte waar een ronde tafel stond omringd door stoelen. Mijn handen voelden klam aan en mijn hart bonsde in mijn keel. Een andere man kwam binnen. Hij was knap en ongeveer veertig jaar oud.

'Alek, fijn je te ontmoeten,' zei hij met een schitterend Schots accent. 'Ik zou je graag willen vertegenwoordigen.'

Vanaf dat moment begon het allemaal werkelijkheid te worden. Hij zei dat hij een paar proeffoto's wilde maken en me naar 'go-sees' wilde sturen. Aan mijn uitdrukkingsloze blik zag hij kennelijk dat die term mij niets zei.

'Voor reclame,' legde hij uit. 'Op de televisie.'

Ik was verbijsterd.

'Ik? Op tv?'

'We moeten een portfolio van je samenstellen en zorgen dat je werkervaring opdoet. Zo kan je carrière van start gaan.'

Ik keek mijn zus aan en zij mij. Soedan met zijn zandstormen en kindsoldaten leek ineens heel ver weg.

'Wanneer wil je beginnen?' vroeg Nigel. 'Laten we van start gaan met advertenties, tijdschriften…'

Toen ik het bureau verliet, speelden er duizenden vragen door mijn hoofd. Zou ik het doen of niet? Was dat bureau wel te vertrouwen of probeerden ze me erin te luizen? Zou ik een beroemd model kunnen worden? Waarschijnlijk niet, maar wat had ik te verliezen? Ik was het beu elke avond te moeten oppassen en in het weekend de haren van oude vrouwen te wassen. Een paar dagen later belde ik, met mijn moeders zegen, Nigel terug om te zeggen dat ik wilde beginnen. Hij bleek een ontzettend aardige man te zijn. Hij was nuchter en drong niets aan me op. Bovendien had hij dat leuke accent… Ik kon mijn geluk niet op.

Plotseling was ik een fotomodel. Maar echt succes had ik nog niet meteen. Ik studeerde nog steeds, zorgde nog steeds voor mijn neefjes en nichtjes en waste in de weekends nog steeds het haar van oude vrouwen. Het verschil was dat ik nu regelmatig door mijn agent werd gebeld die afspraken voor me had gemaakt met fotografen. Het was onwerkelijk voor een meisje uit een klein stadje in Soedan. Tot voor kort had ik nog last gehad van psoria-sis, niet bepaald een aantrekkelijke kwaal, en zeker niet een kwaal die je verwacht bij een covergirl. Ik was negentien jaar oud en be-vond me in hartje Londen te midden van mensen die iets zagen in mijn 'look' en foto's van me wilden maken. Maar wat mijn agent ook zei en hoe complimenteus de fotograaf ook was, ik ging nog steeds elke avond naar mijn moeder om okra te eten en Dinka te spreken.

Het duurde niet lang voordat ik de eigenaar moest vertellen dat ik niet meer in de kapsalon kon blijven werken. Hij liet me echter niet gaan. Hij wilde dat ik bleef. Enerzijds voelde ik me gevleid en wilde ik hem niet kwetsen. Maar anderzijds kón ik er gewoon niet blijven werken. Uiteindelijk verzon ik een smoes. Op een zater-dagochtend wikkelde ik verband om mijn enkel en kwam hin-kend de kapsalon binnen. Ik zei dat ik mijn enkel had gekneusd. Argwanend nam hij me van top tot teen op.

'Oké,' zei hij. 'Dan hoef je niet meer trap te lopen en kun je hier bij mij op de begane grond werken.'

Dat was de bedoeling niet. Mijn plannetje liep niet zoals ik had gewild.

Ik liep hinkend naar hem toe en zei: 'Het spijt me. Ik kan met die knie niet meer werken.'

'Je zei toch dat het je enkel was?'

'O ja, mijn enkel. Ik kan er niet mee werken.'

'Nou, kom maar terug als het over is.'

Ik hinkte weg. Ik voelde me toch enigszins schuldig over mijn leugentje. Eenmaal buiten en uit het gezichtsveld van de kapsalon haalde ik het verband van mijn voet en maakte een sprong van vreugde. Ik was negentien en begon aan een nieuw leven.

Jaren later, toen ik met mijn chauffeur langs de kapsalon reed, liet ik hem voor de deur stoppen. Ik ging naar binnen om de eigenaar te begroeten.

'Hé, Alek. Wat een verrassing!' zei hij hartelijk.

Ik vertelde hem dat ik die keer tegen hem had gelogen.

'Ach, dat geeft toch niks,' zei hij. 'Je bent nu een topmodel!'

8

In Londen werd ik door de kinderen op school gepest omdat ik lange benen had, een donkere huid en een rond, Afrikaans gezicht met kort, rossig haar. Het verbaasde me dus dat ik fotomodel kon worden. Per slot van rekening had ik mijn leven lang een bijna hagedisachtige huid gehad. Maar het agentschap wilde dat ik voor hen kwam werken en wie was ik om daar tegenin te gaan?

Mijn moeder dacht daar echter anders over. In Soedan zag je weinig reclame, of het moest zo nu en dan op de televisie zijn. Ik had er nooit bij stilgestaan dat ik geld kon verdienen met mijn uiterlijk, en dat gold zeker voor mijn moeder. Het enige wat ze wist van vrouwen die poseerden voor foto's, was dat ze niet deugden.

Toen ze op een middag runderstoofpot stond te maken in de keuken, vertelde ik haar dat ik daags erop moest poseren voor een tijdschrift. Haar gezicht betrok.

'Wat moet je daarvoor doen?'

Ik wist dat ze bang was dat ik door een man zou worden overgehaald om me voor de camera uit te kleden – of erger.

'Het is voor een reportage over jurken,' zei ik. 'Nieuwe jurken.'

'Weet je zeker dat je die jurken ook aan moet voor de foto?'

'Moeder,' zei ik.

'Praat niet zo tegen me,' zei ze. 'Je weet niet hoe dat soort mensen kan zijn.'

'Mijn agent heeft het voor me geregeld. Die zal heus niet iets slechts doen.'

'Een agent wil alleen maar geld aan je verdienen.'

'Het is een fatsoenlijke opdracht,' zei ik. 'Ik ben niet gek. Ik zal nooit iets doen waar jij het niet mee eens bent.'

Ze keek me nadenkend aan. Toen ontspande haar gezicht.

'Natuurlijk niet, liever,' zei ze. 'Je hebt gelijk. Je bent een slimme meid en ik vertrouw je. Maar wees wel voorzichtig.'

Uit haar blik maakte ik echter op dat ze nog altijd dacht dat er naaktfoto's van me zouden worden gemaakt. Mijn moeder was bang dat ik uit de kleren zou gaan en mezelf in moeilijkheden zou brengen. Het sierde haar dat ze me niet in de kast opsloot totdat het modellengedoe was overgewaaid.

Mijn eerste echte opdracht was een portretshoot met de fotograaf Mark Mattock. Uiteraard vroeg ik er geen geld voor omdat ik nieuw was, maar twee foto's uit de shoot werden later gepubliceerd in *Vibe*, een toonaangevend New Yorks muziektijdschrift. De foto's wekten de belangstelling van anderen. Zo vond een castingdirecteur me perfect geschikt voor de video van Tina Turners titelsong voor de James-Bondfilm *Golden Eye*. Dat was de eerste en zeker niet de laatste keer dat ik werd gecast vanwege mijn Afrikaanse uiterlijk – ze zochten iemand met een 'exotische' uitstraling die in een jungle leefde.

Ik maakte kennis met Tina, maar zag haar verder nauwelijks. De opnamen voor die video leerden me hoe complex het modellenwerk in elkaar zit. Ik moest poseren in een bikini met luipaardprint, hoge laarzen en woeste make-up in een donkere kamer terwijl er allerlei lichten over mijn lichaam flitsten. Straks krijgt mijn moeder toch nog gelijk, dacht ik, misschien word ik misbruikt. Maar het liep goed af: in de video ben ik een ongrijpbaar, donker, exotisch wezen dat slechts een seconde of tien in beeld is. Allesbehalve een naaktshow. Ik werd gezien en dat leverde me extra werk op.

Daarna werd ik door de creatief-directeur van het tijdschrift *i-D* gevraagd om te poseren voor een Burger-Kingreclame. Hij moet me aardig gevonden hebben, want hij beval me bij andere mensen in het vak aan.

Dit was even heel iets anders dan toiletten schoonmaken bij de BBC! Hoewel het niet veel opleverde – een paar honderd pond per dag – vond ik de betaling geen probleem, omdat ik er ongeveer evenveel mee verdiende als met mijn minder interessante baantjes. Het enige probleem was dat het onregelmatig werk was.

Modellen worden per opdracht betaald. Je verdient het meest wanneer je een contract hebt bij een bepaald mode- of schoonheidsproduct en het 'gezicht' van zo'n merk wordt. Een dergelijk contract kan je miljoenen dollars per jaar opleveren. Daarnaast heb je het catwalkwerk, waarmee je met vijf uur werken tussen de vijfhonderd en tienduizenden dollars kunt verdienen. Vaak kun je als model een paar catwalkshows per dag doen.

Wanneer je een dag wordt ingehuurd voor reclamewerk, en dus niet onder contract werkt, verdien je grofweg hetzelfde als op de catwalk. Vaak ben je drie à vier dagen met zo'n opdracht bezig. Voor reclameopdrachten voor televisie gelden dezelfde tarieven, maar je verdient meer wanneer je agent royalty's bedingt. In dat geval ontvang je elke keer dat een reclamespot wordt uitgezonden een vastgesteld bedrag. Het is een waanzinnig wereldje. De verdiensten lijken enorm, totdat je ontdekt dat de topmodefotografen met gemak honderdvijfentwintigduizend dollar per dag kunnen verdienen. Een fotomodel is dus lang niet de best verdienende in deze branch.

De top van de piramide is smal en bestaat uit een klein groepje modellen, fotografen, modeontwerpers, visagisten en haarstylisten. Om de allerhoogste bedragen te kunnen verdienen moet je tot de avant-garde behoren en doorlopend in de publiciteit staan. Daarvoor moet je modereportages voor tijdschriften maken die creatiever en gedurfder zijn dan het reclamewerk dat je voor bedrijven zou doen. Het is een spel. Enerzijds willen de bedrijven graag de meest creatieve en trendy mensen voor hun campagnes, anderzijds durven ze niet al te extravagant te zijn omdat ze bang zijn dat ze anders hun product niet verkopen.

Het gevolg is dat creatieve mensen en modellen 'cool' werk voor tijdschriften moeten doen om hun reputatie te consolideren, teneinde lucratief reclamewerk te kunnen aantrekken van adverteerders. Maar bladen als *Vogue, Elle* en *Harper's Bazaar* beschikken niet over dezelfde middelen als bedrijven als Hermès, en betalen – relatief gezien – veel minder. Vandaar dat modellen, visagisten en zelfs fotografen bereid zijn voor honderdvijftig dollar per dag fotoreportages voor tijdschriften te doen, in de hoop dat het zich zal terugbetalen wanneer hun werk aanslaat.

Dit soort opdrachten is ook aantrekkelijk voor aankomende modellen die nog naam moeten maken. De eerste maanden deed ik alleen fotoreportages voor tijdschriften en testfotoshoots, waarvoor ik als ik geluk had werd betaald. Dit leverde foto's op voor mijn portfolio – een soort fotoalbum – dat ter inzage wordt gegeven aan fotografen die op zoek zijn naar nieuwe modellen.

Als model kun je heel snel bekend worden. De dorpen in Soedan kennen de 'bushtamtam', de modellenwereld de 'modetamtam'. Een stylist die tevreden is over een nieuw model geeft haar of zijn naam door aan een visagist, die het model op zijn beurt weer aanbeveelt bij een castingdirecteur, die weer contact heeft met een fotograaf of tijdschriftredacteur, enzovoort. Voor je het weet gonst je naam in het rond. Ik had het geluk dat er al snel over mij werd gepraat. Niet dat het meteen veel geld opleverde. De reclamewereld durfde een zwart, Afrikaans model nog niet aan, omdat men bang was dat de consument er niet van gecharmeerd zou zijn. De mensen die met me werkten – stylisten, fotografen – waren echter weg van mijn 'look'.

Een halfjaar na mijn eerste testfotoshoot belde mijn agent me op en zei met bevende stem dat de fotograaf Richard Avedon een fotoshoot met me wilde in New York voor de Pirellikalender. Ik vond het spannend om naar New York te gaan, want ik kende alleen Soedan en Londen.

Ik kreeg een retourticket en begaf me naar het vliegveld. Omdat ik sinds mijn vlucht van Khartoem naar Londen niet meer had gevlogen, kon ik me moeilijk oriënteren op het vliegveld. Toen ik eindelijk de incheckbalie vond en mijn ticket overhandigde, nam de beambte me bedenkelijk op.

Om als vluchteling toegelaten te kunnen worden tot Engeland, had ik destijds mijn Soedanese paspoort moeten afstaan aan de Britse autoriteiten en een reisdocument ontvangen, een zogeheten United Kingdom Travel Document. Dat reisdocument is veel dikker dan een paspoort en heeft een blauw omslag met zwarte letters, in tegenstelling tot het standaard Engelse paspoort dat groen is. Het valt op en ziet er op een of andere manier verdacht uit. Omdat ik na mijn aankomst in Londen niet meer het land uit was geweest, wist ik niet dat houders van een reisdocument een uitreisvisum nodig hebben wanneer ze de grens over willen.

Aan de balie werd me duidelijk gemaakt dat ik zonder visum niet kon vertrekken. Ik rende naar een telefooncel en belde mijn agent. Hij was er niet. Uiteindelijk moest ik de fotoshoot, die de volgende dag zou plaatsvinden, laten schieten omdat ik mijn papieren niet op tijd in orde had.

Later ontdekte ik tot mijn ontsteltenis dat Richard Avedon zo ongeveer de beroemdste en meest gerespecteerde fotograaf ter wereld was. Hij maakte al sinds de jaren veertig van de twintigste eeuw portretten en had briljante journalistieke boeken met schrijvers als James Baldwin en Truman Capote op zijn naam staan. Wat een gemiste kans! Toen ik vervolgens ontdekte dat er op de Pirellikalender voornamelijk filmsterren en topmodellen staan en de testshoot een van de felst begeerde opdrachten is onder modellen, moest ik even gaan zitten om alles te laten bezinken. Niet omdat ik de opdracht had gemist, maar omdat deze grote fotograaf en zijn opdrachtgever mij goed genoeg vonden de kalender. Dat sterkte me in mijn keuze voor het modellenwerk. Toen ik in 1999 door Herb Ritts werd gefotografeerd voor de Pirellikalender, dacht ik terug aan Avedon. Wat een manier om een carrière te beginnen – door een opdracht met hem ter verknallen!

Na het Avedonfiasco gebeurde er een tijdje weinig. Het werk was zo onregelmatig dat ik nooit van tevoren wist hoeveel ik zou verdienen, terwijl ik wel mijn uitgaven had. Het materiaal dat ik nodig had voor de kunstacademie was verschrikkelijk duur, en ik kon niet zonder. Bovendien moest ik mijn moeder kostgeld betalen. Ik nam parttimebaantjes, volgde lessen op de academie en paste 's avonds op de kinderen van mijn zus.

Wanneer ik een opdracht of *go-see* had, moest ik mijn ingewikkelde schema voor die dag omgooien, waardoor ik soms lessen miste of een vriendin voor me moest laten invallen op mijn werk. Ik wist nooit wat ik kon verwachten wanneer ik bij een fotostudio aankwam. Ik herinner me een shoot voor *The Face*, waarvoor ik gekleed in zwart rubberen kleren en met een masker op als Dracula door de studio moest fladderen. Als mijn moeder dat had geweten, had ik direct met het modellenwerk moeten stoppen!

Ik wilde dolgraag slagen als model en mijn agent stimuleerde me op alle mogelijke manieren. Hij geloofde in me, hoewel ik zelf vond dat mijn carrière, na negen maanden van shoots en go-sees, niet zo snel ging als ik had gehoopt. Ik had geld nodig en was doodop van al het gehaast en gevlieg. Mijn agent hield vol dat alles gesmeerd liep, maar ja, hij stond niet in mijn schoenen. Het was elke dag weer een gevecht, en de glamour van het modellenwerk was er inmiddels wel af. Ik belde hem voor een gesprek.

In de bus naar mijn agent oefende ik mijn monoloog: 'Ik vond het fantastisch om als model te werken en jullie hebben me ontzettend gestimuleerd. Dat waardeer ik enorm, maar ik kan niet op deze manier werken omdat ik nooit weet wat ik de volgende week zal verdienen. Ik heb behoefte aan zekerheid. Dus als jullie me geen vast salaris kunnen garanderen, zal ik met het modellenwerk moeten stoppen. Ik moet praktisch zijn.'

Tegen de tijd dat ik tegenover mijn agent, zijn assistent en nog een paar andere mensen zat, was ik zo nerveus dat mijn goed geoefende verhaal er eerder smekend dan zelfverzekerd uitkwam. Niettemin lukte het me over te brengen hoe ik erover dacht. Ze waren geschokt. En ik was op mijn beurt weer geschokt toen ik zag hoe geschokt zíj waren.

'Alek, besef je wel dat jij het eerste model bent dat dit vraagt?'

Ik zei nee, maar ik zei ook dat ze niet iedereen over één kam konden scheren. Ik was ik. En ik was niet tevreden met de manier waarop het ging.

Ik had het voordeel dat ik nooit ten koste van alles model had willen worden. Als ik niet zou slagen in het vak, viel er voor mij geen droom in duigen.

'Alek, je hebt nu al een geweldige carrière opgebouwd,' zei mijn agent. Hij noemde Avedon, Tina Turner en *Vibe*. 'We verwachten dat je in de toekomst televisiereclames gaat doen en contracten zal afsluiten met grote cosmeticabedrijven. Je komt op billboards en in de bladen. Het heeft gewoon tijd nodig. Het is niet gebruikelijk dat een agentschap je een maandinkomen garandeert voordat je naam hebt gemaakt. We mogen je erg graag, maar dat gaat echt te ver.'

Ik maakte hen duidelijk dat ik in dat geval genoodzaakt was met het modellenwerk te stoppen. In eerste instantie geloofden ze me niet, denk ik. Maar ik vertrok en liet niets meer van me horen. Ik zat er niet mee – het leven ging door.

Kennelijk zat het hen toch niet lekker, want een paar weken na mijn vertrek nodigde mijn agent me uit voor een gesprek. Hij vertelde me dat ze een uitzondering voor me wilden maken omdat ze verwachtten dat ik een topmodel kon worden. Ze garandeerden me voldoende salaris om van te leven, hetgeen neerkwam op een paar honderd pond per maand. Het was voldoende om mijn andere baantjes te kunnen opzeggen.

Volgens mijn agent werd het tijd dat ik naar New York ging. Wauw, dacht ik, terwijl ik naar de bus liep. New York.

Mijn moeder was behoorlijk onder de indruk van het feit dat ik naar New York zou gaan, maar liet niet merken dat ze zich zorgen maakte. Ze vertrouwde erop dat alles op zijn pootjes terecht zou komen. Per slot van rekening was ik al eerder in mijn eentje naar de andere kant van de wereld gereisd. Dit keer zou er echter niemand op me staan te wachten om me onder zijn hoede zou nemen. Wel kreeg ik een agent van het agentschap Ford Models toegewezen, die me in de Verenigde Staten zou vertegenwoordigen. Ondanks de zegen van mijn moeder lukte het weer niet het land te verlaten omdat mijn werkgever wederom niets voor me had geregeld. Ik besloot dit soort zaken nooit meer aan anderen over te laten.

Een paar dagen later had ik alles geregeld. De nachtelijke landing op vliegveld JFK-vliegveld was een overdonderende ervaring. Na jaren in Londen te hebben gewoond, dacht ik alles wel te hebben gezien, maar New York was toch andere koek. Toen het tijd was om van boord te gaan, pakte ik mijn kleine reistas waarin ik voor een dag of vier kleren had gestopt en ging op pad. Maar opnieuw viel de immigratiedienst me lastig, want na een blik in mijn vluchtelingenpaspoort werd ik voor verhoor naar een wachtkamer gebracht.

'Wat is het doel van uw bezoek aan New York?'

'Ik ben model.'

De man keek me onderzoekend aan.

'Model?'

Waarschijnlijk voldeed ik niet aan zijn beeld van een fotomodel.

Ze namen foto's van me en namen vingerafdrukken af. Ik was bang. Pas na twee uur lieten ze me gaan. De chaos op het vliegveld deed me eerder aan Afrika denken dan aan het geordende Londen. Ik nam een taxi en liet me door de New Yorkse schemering naar East Sixth Street en Avenue B vervoeren, waar het agentschap me in een 'modellen'appartement huisvestte, samen met nog een paar andere kandidaten.

Terwijl ik Manhatten naderde keek ik ademloos naar de reusachtige wolkenkrabbers: het World Trade Center, het Empire State Building en het Chrysler Building vormden een twinkelend droomlandschap tegen de ondergaande zon. Zodra de taxi echter aan de andere kant van de tunnel onder het centrum uit kwam, had ik het gevoel dat we een soort jungle in reden. De zomerlucht was heet en vochtig en vreemde geluiden klonken uit deuren, auto's en gettoblasters. Ik werd nerveus en begon sneller te ademen. Ik wilde niet dat iemand de transpiratieplekken in mijn blouse zou zien en veegde met mijn mouw het zweet van mijn voorhoofd.

Toen ik bij het modellenappartement arriveerde, zag ik een vrouw uit een van de ramen naar beneden turen.

'Alek, je hebt het gevonden!' riep ze. 'Kom gauw naar boven.'

Hoewel ze heel vriendelijk overkwam, bonsde mijn hart in mijn keel toen ik uit de taxi stapte. Ik mompelde in mezelf: 'Waar ben ik in hemelsnaam aan begonnen?' Ze nodigde me enthousiast binnen en verwelkomde me in haar appartement. Ze heette Mora Rowe en was aangesteld als agente om de meisjes te begeleiden. Ze werd een van mijn beste vriendinnen, maar op dat moment deed ze me denken aan een opgewonden buitenaards wezen met een brede grijns en het idiootste Californische accent dat ik ooit had gehoord.

'Jeetje, je bent er,' zei ze. 'Ik ben zo blij je te zien, weet je. Kom, dan nemen we een taxi de stad in.'

Haar enthousiasme werkte aanstekelijk.

Er woonden nog twee andere meisjes in het appartement. Ik koos voor de middelste kamer, met alleen een dakraam, omdat die meer privacy bood dan de andere kamers. Ik vond het niet erg dat ik niet naar buiten kon kijken – ik had op mijn reizen wel slechtere onderkomens gehad.

Op mijn eerste dag liep ik vanuit het modellenappartement de straat op, waar het volle New Yorkse leven in alle hevigheid op me af kwam. Het appartement lag in East Village dat in die tijd nog behoorlijk ruig was. Ik sloeg linksaf en liep in oostelijke richting, wat over het algemeen als een nogal gevaarlijke onderneming werd gezien. Een man botste tegen me aan, keek me recht in de ogen en nam me vervolgens met een keurende blik van top tot teen op alsof hij een koe op de markt keurde. Zoiets schaamteloos was me in Londen nog nooit overkomen! Op de hoek van de straat werd een man genaamd Tyron herdacht in een enorme muurschildering. Zijn geschilderde gezicht was versierd met bloemslingers en kruisbeelden. Hij was nog maar zeventien toen hij stierf. Ik vroeg me af hoe hij aan zijn einde was gekomen.

Een eindje verderop kwam ik langs twee jongemannen die elkaar met een spuit drugs toedienden. Ik wist wel dat dat soort dingen gebeurde, maar had het in Londen nooit met eigen ogen gezien. Hoe ongelooflijk ook, een van hen floot me na terwijl de naald nog steeds in zijn ader stak. Ik besloot dat dit niets voor mij was, sloeg af en liep een andere kant op. Tijdens mijn wandeling hoorde ik allerlei soorten muziek: salsa, reggae, en zelfs Fela Kuti, de beroemde Nigeriaanse muzikant. Op straat wemelde het van de mensen die spullen verkochten, zoals cassettes, cd's, boeken, sieraden, noem maar op. Ik vond het geweldig.

Die avond wilde Mora met me uit.

'Kijk, doe dit maar aan,' zei ze terwijl ze me een kleurige sarong voorhield. 'We gaan de Porto Ricaanse cultuur opsnuiven.'

Ik had geen idee wat Porto Ricanen waren, maar zoals zij het zei, klonk het heel exotisch. We liepen naar de Lower East Side. Het was een warme avond en er was veel volk op de been. Her en der dansten mensen op salsamuziek. Het had iets feestelijks en ik bleef maar vragen: 'Zijn dat Porto Ricanen? Is hij een Porto Ricaan?'

Mora lachte alleen maar. Na verloop van tijd werd me duidelijk dat zeker de helft van de inwoners in de wijk Porto Ricanen waren. Toch waren het gewoon New Yorkers, zoals iedereen.

We gingen naar een Mexicaans restaurant op de hoek van Stanton Street en Ludlow Street. Het was een hartstikke leuk tentje vol met vriendelijke mensen. Mora en ik kletsten honderduit, flirtten met een paar mannen en hadden het onnoemelijk naar onze zin. Flirten was nieuw voor me, want ik was nog erg onervaren en naïef als het om mannen ging. Toen ik terugliep naar het modellenappartement zag ik de toekomst rooskleurig tegemoet.

De volgende ochtend gaf Mora me een paar metrokaartjes en liet me zien hoe ik bij mijn eerste go-see kon komen. Ik was bang dat mijn kleren niet goed genoeg waren, want ik droeg een oude spijkerbroek die mijn zus me had gegeven. Ze had hem op een tweedehandsmarkt in Londen gekocht.

'O mijn god,' zei Mora. 'Hoe kom je aan die geweldige vintage Wrangler-jeans?'

Dat deed me goed. Op die jeans heb ik de eerste maanden in New York heel wat reacties gehad. Een vrouw bood me er zelfs tweehonderd dollar voor. Meer dan eens vroeg ik me af in wat voor wereld ik terecht was gekomen.

Ik liep naar de metro en op een of andere manier lukte het me om in het centrum het adres te vinden dat Mora me had gegeven. Ik ging de sjofele hal binnen en beklom de drie trappen naar het castingbureau. Aan een klein bureau zat een vrouw van middelbare leeftijd. Ze blies haar kauwgombel kapot, griste mijn portfolio uit mijn handen en keek het vluchtig door. Vervolgens gaf ze me het boek terug en ging verder met haar werk. Ik bleef een minuut lang roerloos voor haar bureau staan. Toen schraapte ik mijn keel. Ze keek op.

'Ben je soms nieuw hier?'

'Ja,' zei ik. 'U bent de eerste in New York bij wie ik langsga.'

'Nou, dat was het. We laten het hierbij.'

'U kunt me niet gebruiken?'

'We kunnen je niet gebruiken, nee. Je bent niet wat we zoeken.'

Jeetje, dacht ik. Wat zijn ze bits in New York. Het zou me moeite kosten daaraan te wennen.

Toen verraste ze me door me met een bewonderende blik op te nemen.

'Hé, hoe kom je aan die Wrangler-jeans? Die is helemaal te gek!' zei ze.

Ik vertrok opgetogen.

Die avond ging ik een blokje om. Ik trok de sarong weer aan, met een strak topje dat ik in Londen had gekocht. In Londen kon ik dit soort kleren zonder problemen dragen, maar de East Village was een ander verhaal. Op bijna elke hoek van de straat stonden groepjes jonge, gespierde mannen; ze droegen hemdjes, bandana's, sportschoenen en gouden kettingen. Ze vonden dat ik er goed uitzag.

'Hé, wat zit er onder die rok?' riep een van hen me na.

'Hé, schat, deed het pijn toen je uit de hemel viel?' zei een ander.

Ik maakte rechtsomkeert en verstopte me in mijn kamer.

'Wat is er, Alek?' vroeg Mora.

Ik vertelde haar dat ik nog maagd was en nog nooit een echt vriendje had gehad. En dat ik geschokt was dat de New Yorkse mannen je op straat nariepen. Ik zei dat ze dat in Soedan of Londen niet deden.

'Dat komt door die sarong,' zei ze, 'en door die lange benen van je.'

De volgende keer dat ik de straat op ging trok ik een spijkerbroek aan, maar eigenlijk bleef ik het liefst thuis. In plaats van buiten te wandelen, zette ik de ventilator in mijn kamer aan, en terwijl de droge hitte werd rondgeblazen, zei ik tegen mezelf: 'In Soedan was het ook zulk weer.'

De andere kamers werden telkens door nieuwe meisjes bewoond. De meesten van hen gingen elke avond op stap en hadden 's ochtends een kater. Als ik hun grauwe gezichten zag, dacht ik bij mezelf: 'Goddank heb ik vannacht goed geslapen, want ik heb het hartstikke druk vandaag.'

Mijn dagen waren gevuld met go-sees. Mora gaf me 's ochtends een lijst met afspraken, die in de loop van de dag werd aangevuld met nieuwe go-sees. Ik doorkruiste de hele stad met mijn portfolio – de ene keer moest ik naar een modellenbureau, de andere keer naar een fotostudio of redactiebureau. Soms stond ik na twee minuten weer buiten, soms mocht ik een testfotoshoot doen. Ik wist nooit wat me te wachten stond, alleen dat ik kon worden afgewezen. Wat meestal gebeurde.

Het was de tijd van superslanke topmodellen met ronde vormen en lang, dik haar. De meesten hadden een lichte huid, lichte ogen en licht haar. Dit type model overheerste in de reclamecampagnes voor cosmetica, kleding, enzovoort. Men was bang om iets anders te proberen, en hetzelfde gold voor de tijdschriften. Avedon mocht me dan voor de Pirellikalender hebben gevraagd, de doorsnee-Amerikaan wilde er niet aan.

De weinige keren dat iemand de tijd voor me nam, schrok ik gewoon van de aandacht. Soms deed ik zestien go-sees op een dag, en dat twee weken achtereen. Als ik 's avonds terugkwam op mijn kamer maakte ik wat soep of noodles voor mezelf klaar. Een enkele keer kookte Mora Italiaans voor ons, zoals spaghetti, en dat vond ik heerlijk. Als ik mezelf wilde trakteren kocht ik voor een paar dollar iets bij de afhaalchinees om de hoek. Meestal probeerde ik geld te besparen. Ik verdiende nog niks en was voor de kosten van mijn huur en levensonderhoud aangewezen op de voorschotten die ik van het agentschap kreeg. Ik wilde geen al te grote schulden maken.

Ik kon van tweehonderd dollar een maand rondkomen. Ik ging nooit naar een bioscoop of museum. Dat eerste jaar kocht ik slechts één kledingstuk. Ik liep over straat toen ik ineens bedacht dat ik graag nieuwe kleren zou willen kopen. Op dat moment passeerde ik net een junk die vanaf een deken op het trottoir spullen verkocht. Hij had een geweldige jaren-zeventig Rayonblouse te koop, met een grote, puntige kraag. Ik móést hem hebben.

'Wauw, die neem ik,' zei ik. 'Ik was hem thuis wel goed uit,' zei ik.

Toen hij me bevreemd aankeek, besefte ik dat ik hem had beledigd door te suggereren dat zijn kleren vies waren. Niettemin verkocht hij me de blouse voor één dollar. Ik was er dolblij mee. Ik heb hem nog steeds en zal hem nooit wegdoen, want ik vind hem prachtig. Om geld te besparen waste ik 's avonds mijn kleren op de hand; ik ging nooit naar een wasserette.

De medewerkers van het agentschap Ford Models vonden dat ik iets speciaals had, maar betwijfelden of fotografen en reclamemakers het 'risico' durfden te nemen om met een 'exotisch' model als ik te werken. Met 'exotisch' werd altijd 'zwart Afrikaans' bedoeld. Ik was zwarter dan de meeste andere modellen en dat leek men beangstigend te vinden. Het agentschap ging wel eens kleren kopen met de blanke meisjes uit het appartement, maar nooit met mij. Ik vermoed uit vrees dat hun investering niet zou worden terugverdiend. Gelukkig had Mora voldoende vertrouwen in me om elke dag afspraken voor me te regelen.

Het leidde echter tot niets en uiteindelijk raakte het agentschap ontmoedigd. Ze verwachtten niet dat er nog opdrachten voor me in zaten. Ik kreeg te horen dat ik het modellenappartement moest verlaten. Ik barstte in tranen uit. Ik was teleurgesteld dat het op niets was uitgelopen en dat ik terug naar Londen moest. Maar Mora bleef me steunen. Ze vroeg me zelfs een tijdje bij haar te komen wonen in haar appartement in Brooklyn. Ik trok bij haar in en bleef go-sees af lopen.

'Je moet gewoon de persoon vinden die jouw schoonheid begrijpt en dan ga je het helemaal maken! Let op mijn woorden,' zei Mora.

Op een dag stuurde ze me naar een testshoot voor een nieuwe lijn van Francois Nars op het dak van een gebouw in Soho. Ik had nog nooit van hem gehoord, hoewel hij een zeer succesvol visagist was. Hij zei: 'Ik heb over je gehoord. Een vriend van me bij *i-D Magazine* heeft je bij me aanbevolen.' Op dat moment besefte ik dat de modewereld uit een kleine groep mensen bestaat die elkaar allemaal kennen. Het feit dat die redacteur in Londen me had aanbevolen, maakte dat ik me verbonden ging voelen met dat wereldje.

Ik trok een wit T-shirt aan en Nars stiftte persoonlijk mijn lippen met een dieprode lippenstift, genaamd 'Times Square'. Meer voorbereiding deden we niet op die fotoshoot. Uiteindelijk gebruikte hij een van de foto's voor zijn reclamecampagne. De mensen bij Ford waren zeer tevreden en begonnen in te zien dat de bereidheid toenam om een donker Afrikaans model zoals ik te gebruiken voor make-upreclame. Dat was een belangrijke stap, want hun belangstelling nam toe. Maar nog belangrijker was het feit dat mijn agent werd gebeld door het bureau van Steven Meisel.

De fotograaf Steven Meisel was, onder andere, beroemd vanwege zijn foto's van Madonna voor haar boek *Sex*. Hij was op dat moment zeer gewild en fotografeerde regelmatig voor de Amerikaanse *Vogue* en tal van andere bladen. Hij stond erom bekend altijd op zoek te zijn naar nieuwe modellen voor de reclamecampagnes van zijn klanten. Hij was degene die Linda Evangelista groot maakte. Zijn telefoontje was ongetwijfeld heel belangrijk.

Ford zag me ineens helemaal zitten. Ze stuurden me naar de gosee met een mannelijke vertegenwoordiger van het bureau, die vond dat we een grote bos bloemen moesten meenemen. Ik schaamde me, omdat ik het overdreven vond, maar omdat ik nieuw was had ik daar niets over te zeggen.

Het bleek dat Meisel de modellen op een go-see nooit zelf ziet. In plaats daarvan nam zijn personeel een paar polaroidfoto's van me. De bos bloemen leek weinig indruk te maken.

Niet lang daarna werd ik gevraagd voor een shoot voor de Italiaanse *Vogue*, de absolute top voor een fotomodel. Ik zou door Steven Meisel zelf worden gefotografeerd. Maar dat ging niet zomaar.

'Ze vinden je te dik,' zei Mora. 'Ze willen dat je afvalt.'

Wat? Mijn hele leven had ik te horen gekregen dat ik te mager was. Ik was in mijn jeugd bijna de hongerdood gestorven en nu vonden ze me te dik? Het moest niet gekker worden. De roep om graatmagere lichamen is een vloek voor elk model en dat probleem wordt elk jaar erger. Hoe dun je ook bent, er is altijd wel iemand die vindt dat je nóg dunner moet worden. Ik ken modellen die zich voor een fotoshoot of catwalkshow wekenlang uithongeren. Dat merk je aan alles, omdat mensen lusteloos en depressief worden als ze lange tijd op een streng dieet staan. Ik weet wat het is om honger te lijden – niet omdat ik zo nodig in een jurk wil passen, maar omdat ik een vluchteling ben geweest. Dat wil ik nooit meer meemaken.

'Maak je geen zorgen,' zei Mora. 'Het gaat maar om een paar kilo. Ik vind het prima zoals je eruitziet. Je eet verstandig. Je doet aan fitness. Je bent nog een tiener, dus zit er maar niet over in.'

Ik ging niet op dieet.

Toen Meisel me belde voor een gesprek, kleedde ik me op mijn best en probeerde niet al te nerveus over te komen. Hij bleek een geweldige, verlegen, knappe en beleefde man. Ik had de indruk dat hij me mocht. Hij repte er met geen woord over dat ik te dik was.

De medewerkers van het agentschap Ford gingen uit hun dak. Iedereen was plots in me geïnteresseerd – mijn eerste les in de grillige wereld van de roem. De shoot zelf, in Meisels studio in New York, was een geweldige ervaring. We deden een serie jurken van Versace. Ik was bloednerveus. Ik was het enige model voor de reportage. Ik werd in de witte studio verwelkomd door een beeldschone, stijlvolle vrouw van in de dertig, gekleed in een hippe en perfecte outfit voor het seizoen. Ze leidde me naar een rek vol Versacekleren, haalde er een karmozijnrode jurk uit en hield hem me voor. Ze fronste. Vervolgens nam ze een blauwe rok en een topje uit het rek, die ze me opnieuw voorhield. Ze glimlachte. Toen was het de beurt aan haar assistent, een muizige jongen, om te fronsen. Ze bekeek de combinatie nog eens goed en fronste toen ook. Uiteindelijk kozen ze voor een eenvoudige maar nauwsluitende gele jurk. Ik vond hem prachtig, maar voordat ik me kon omkleden, moest ik worden opgemaakt.

De haarstyliste zette me een lange, glanzende pruik op. Ik vond het niks, en al helemaal niet toen ik de jurk had aangetrokken. Maar ik had gehoord dat Steven een intelligente man was, dus ik probeerde me geen zorgen te maken en vertrouwde erop dat hij wist wat hij deed. Ik stond in de spotlights tegen een witte achtergrond terwijl hij me vanuit een stoel zwijgend bekeek.

'Weet je wat,' zei hij na een tijdje. 'Doe die pruik maar weer af.'

De styliste haalde de pruik van mijn hoofd. Toen pakte Steven zijn camera en keek me aan.

'Het is goed zo,' zei hij.

'Wat?'

'Nog even wat lipgloss en dan kunnen we beginnen. Je bent perfect zo.'

De visagiste kwam naar me toe en verrichtte wonderen met haar make-up.

'Doe maar waar je zin in hebt,' zei Steven.

Zijn assistent zette muziek op.

'Meen je dat?' zei ik lachend.

'Wat dacht je dan?'

Ik voelde me ineens vrij en begon te dansen. Een geniale manier van werken. Hij liet me mezelf zijn. Ik hield me niet in. Hij schoot foto na foto terwijl ik in korte jurkjes met een of twee mouwen en grote oorringen in ronddanste. Ik had geen idee waar ik het vandaan haalde, maar de foto's waren geweldig. Je ziet eraan af dat de relatie tussen een model en een fotograaf een fantastische bron van energie kan zijn.

Na de shoot vloog ik terug naar Londen om mijn moeder te zien en bij te praten met mijn agent. Het agentschap behandelde me ineens met respect, alsof ik tot het koninklijk huis was toegetreden.

'Heb je de Italiaanse *Vogue* gedaan? Met Steven? Ongelofelijk, zo snel.'

Ik dacht bij mezelf: Dat had je zeker niet van mij verwacht, hè?

Met mijn jongere zusje
Athieng toen ik 24 jaar was.

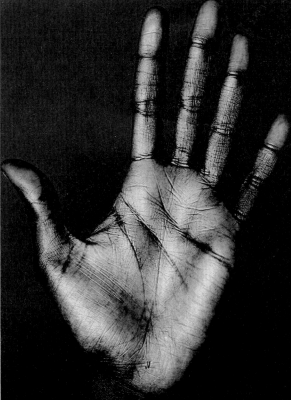

Deze foto van mijn linkerhand
was een inspiratiebron voor
veel van mijn schilderijen. Ik
hoop dat de lange levenslijn in
mijn handpalm een juiste
voorspelling geeft.

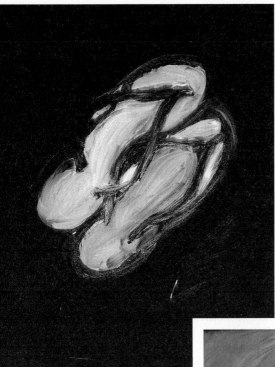

Deze slippers schilderde ik in 2000, met mijn leven in Soedan en de oude slippers die ik daar droeg in gedachten.

Kort nadat ik mijn huis in Brooklyn kocht, begon ik weer met schilderen. Dit portret van mijn overleden vader, Athian Wek, was een van de eerste schilderijen die ik afrondde in 2000. Het eerste portret dat ik ooit schilderde.

Rechts: Een vriendin gaf me deze naaimachine, die ik gebruikte om mijn eerste tassen te maken thuis in Brooklyn.

Linksonder: Op de foto met een zilveren Akua-tas uit de collectie van een van mijn eerste vakbeurzen.

Rechtsonder: Deze foto, genomen door de Engelse *Vogue*, laat mij zien met een WEK1933-tas.

Deze excentrieke outfit droeg ik tijdens een haute-coutureshow van Christian Dior in 2004.

Backstage met Vivienne Westwood, vlak voor haar show in 2001 in Parijs.

Het was een eer om als bruid over de catwalk te lopen. Samen met Karl Lagerfeld tijdens een van zijn Chanel-coutureshows.

Op de trap voor mijn
huis in Brooklyn.

Een kunstenaar projecteerde mijn foto's op een muur in Lafayette Street in SoHo, New York,
en schilderde mijn portret (1998).

THE WORLD CLASS ISSUE NO.174

i-D·

©

i-Deas,fashion,clubs,music,

up

cover star: **alek wek** photographed
by **mark mattock april 1998**

£2.50 US$6.75

04

i-D april 1998. The World Class Issue no174. Photography by Mark Mattock. Make-up for Aaron DeMey.

ELLE

E 25 L E

**TAKES ON
THE SEXY SUIT
THE ULTIMATE
GETAWAY CLOTHES**

FASHION HEATS UP

**GLOWING
SKIN** HOW TO
GET IT
HOW TO
KEEP IT

**EXCLUSIVE:
LOVE IN
THE '90S**
RICHARD GERE,
PAUL REISER
PLUS A LITTLE
ADULTERY
AND A WHOLE
LOT OF LUST

NOVEMBER 1997
USA $3.00
CANADA $3.50

02492

0 274921 9

11

Omstreeks diezelfde tijd besloot Mora dat ze niet meer voor Ford wilde werken. Ze vond echter niet meteen een andere baan en kwam in geldproblemen. Nu was het mijn beurt om haar te helpen: ik had een hoop geld gespaard, dus ik gaf haar een paar duizend dollar om het gat te overbruggen. Ik had nog nooit iemand zo dankbaar gezien. Mora was altijd mijn vriendin geweest. Ze had me alles gegeven en was mijn steun en toeverlaat geweest. Ik vond dat ik het haar verschuldigd was.

Zelf was ik ook teleurgesteld in Ford. Ik had nooit het gevoel gehad dat ze me begrepen, hoewel ik toch aan een paar goede opdrachten had meegewerkt. Het leek wel of ze niet precies wisten wat ze met het Dinkameisje aan moesten.

Toen de Italiaanse *Vogue* een paar maanden later verscheen, stond ik versteld. Ik zag er fantastisch uit op de foto's. Meisel is een bijzonder getalenteerd fotograaf en een aardig mens bovendien.

'Ik heb in lange tijd niet iemand gezien die zo interessant, zwart en mooi is,' zei hij tegen een verslaggever.

Hoewel Steven me in Versacekleding had gefotografeerd, ontmoette ik Gianni Versace zelf pas jaren later op een feestje na een modeshow in Parijs. Hij vertelde me hoe geweldig hij me in de Italiaanse *Vogue* had gevonden. Het was zo'n hartelijke man. Een paar maanden later bevond ik me in een studio in New York toen ik op de radio hoorde dat Versace voor zijn luxueuze villa in Miami was neergeschoten. Ik had me net in een nieuwe outfit gestoken en de visagist werkte mijn make-up bij. Hij liet zijn kwast uit zijn hand vallen. Iedereen was diepgeschokt. We wisten niet of Versace de schietpartij had overleefd. Toch gingen we verder met de shoot, maar met onze gedachten waren we elders.

Toen we vernamen dat hij was overleden, kon niemand het geloven. Ik had in mijn leven al heel wat dood en verderf meegemaakt, maar dit was anders. Ik besefte hoe gek sommige mensen zich kunnen gedragen en hoe onvoorspelbaar het leven is – het ene moment ben je er nog, het volgende moment ben je dood. Versace was zo'n gepassioneerd man, maar zijn leven werd hem ontnomen.

Ik was nooit bang geweest in Londen of New York, omdat ik geweld associeerde met oorlog. Na de moord op Versace begon ik naar misdaadprogramma's op televisie te kijken en werd ik 's nachts doodsbang als ik iets hoorde. Het heeft lang geduurd voordat ik me weer kon ontspannen.

Het was fijn om weer terug te zijn in Londen. Ik trok bij mijn moeder in en verviel meteen in de Soedanese levenstijl, at stoofpot van gedroogde okra en deed al de dingen waar ik van hield. Mijn moeder en haar vrienden begonnen in te zien dat mijn carrière iets voorstelde en dat ik niet werd uitgebuit. Ze waren trots op me. Ik werd uitgenodigd om in het Soedanese gemeenschapscentrum met een paar meisjes over mijn werk als fotomodel te praten. Inmiddels werken er een paar jongere Soedanese meisjes als model.

Een tijdlang pendelde ik tussen Londen en New York, als daar werk me voor me was. Ik probeerde naast modereportages voor tijdschriften, die vaak maar zo'n honderd dollar per dag opleverden, zoveel mogelijk reclamewerk te doen, waarmee ik soms wel achtduizend dollar op een dag verdiende, waarvan vijftien procent naar het agentschap ging. Op die manier kon ik de vliegreizen betalen. Heen en weer vliegen tussen Londen en New York was voordeliger dan een appartement huren in New York. Als ik niet werkte woonde ik bij mijn moeder in Londen en wanneer ik in New York was, verbleef ik in een hotel of bij Mora. Bovendien had ik het voordeel dat mijn retourvlucht vaak werd vergoed door de opdrachtgever. Op een gegeven moment kreeg ik echter zoveel werk aangeboden dat ik fulltime in New York moest zijn. Het reizen werd te zwaar.

Ik verliet Ford Models en ging werken voor International Management Group, oftewel IMG. Het was Mora's nieuwe werkgever, en ik besloot haar achterna te gaan omdat ik voelde dat zij me beter begreep dan welke andere agent ook die ik ooit had ontmoet.

Ik had het inmiddels zo druk dat ik in Lower East Side snel een appartement huurde, dat niet veel groter was dan een minibusje. Zes weken lang sliep ik op een deken op de houten vloer omdat ik geen tijd had om een bed te kopen. Ik had het gevoel dat ik weer in het dorp in Soedan woonde, in de hut, en dat beviel me allesbehalve. Ik kocht een futon in een winkel om de hoek. Omdat ze vijfendertig dollar bezorgingskosten rekenden, droeg ik hem onder mijn arm mee naar huis, wat me een paar enthousiaste kreten van een groepje jongens op straat opleverde.

'Je bent een verdomd sterke meid,' zei een van hen bewonderend. Daarna noemde hij me elke keer 'sterke meid' wanneer hij me zag.

Omdat mijn inkomsten erg onregelmatig waren en ik nooit wist wanneer ik een nieuwe opdracht zou krijgen, probeerde ik zoveel mogelijk te sparen. Te veel eigenlijk. Ik ben altijd een potter geweest, want ik heb liever geld op de bank staan als appeltje voor de dorst dan dat ik een luxueus leven leid.

Ik bleef van hot naar her rennen voor werk. Veel mensen denken dat je als model achterover kunt leunen terwijl de opdrachten en het geld binnenstromen, maar in werkelijkheid moet je er net zo hard en serieus voor werken als voor elke andere carrière. Ik liep zoveel go-sees af dat ik me de helft niet eens meer kan herinneren. Hoewel ik dol ben op New York, bleef het voor mij een jungle. Ik had altijd het gevoel dat er iemand achter een struik op de loer lag. Welke agent wil me nu weer een poot uitdraaien? Wie heeft het op mijn carrière gemunt? Het was erg stressvol. Ik had in de bush gewoond, maar het leven in New York was al bijna net zo moeilijk. Maar het hield me scherp.

In al die jaren heb ik veel modellen verslaafd zien raken aan feesten. Een mooi meisje in New York wordt altijd wel mee uit gevraagd en er is altijd wel iemand die je in ruil voor gezelschap van drugs en drank voorziet. Veel meisjes gaan daaraan ten onder. Het gaat ook zo makkelijk. Ik liep een keer op Broadway toen een jongen met dreadlocks achter me aan kwam. Hij was knap en nodigde me uit voor een feest dat hij die avond met zijn band gaf. Hij schreef op een briefje waar en wanneer het was. Toen ik het thuis aan Mora liet lezen, bleek het een van de jongens van Wu-Tang Clan te zijn, in die tijd een van de meest succesvolle rapbands in New York.

Ik voelde me gevleid, maar ging niet. Ik had het de volgende ochtend te druk. Ik wilde niet dat al mijn werk voor niks was geweest. In mijn achterhoofd hoorde ik mijn moeder altijd zeggen: 'Wat zit je daar te lummelen? Kom op, aan het werk!' Of mijn vader, die altijd zei: 'Luister, Alek, je hoeft geen wetenschapper, arts of advocaat te worden, maar kies werk dat je graag doet. Richt daar al je aandacht op en laat je door niets afleiden. Het leven kan leuk zijn, maar het is geen spelletje.'

Ik genoot van het leven en had mooie opdrachten. En zonder dat ik het wist stond ik op het punt de gangbare opvattingen over schoonheid en modellenwerk in Amerika te veranderen.

9

Mijn huid is allesbepalend, of ik het nu leuk vind of niet. Het eerste wat mensen aan me zien is mijn donkere huid. Niet alleen in Amerika en Europa, maar ook – zij het in mindere mate – in Soedan. In Khartoem werd ik vanwege mijn donkere huid gezien als een zuiderling en, waarschijnlijk, als een Dinka. Lichter getinte inwoners van de stad keken om die reden op me neer. Racisme komt overal voor.

Als ik in Darfur had gewoond, waar door de Soedanese regering enorme misdaden tegen de menselijkheid worden begaan, zou ik met mijn huid worden aangezien voor een *zurqa* – een 'vieze zwarte' – worden aangeduid. De Arabische milities, die door het wrede regime in Khartoem worden gefinancierd en aangestuurd, zouden me eruitpikken om me te verkrachten, te brandmerken en te terroriseren, of mijn dorp misschien wel bombarderen met olievaten en granaatscherven. Alleen maar omdat ik zwart ben. En zij minder zwart, maar nog steeds donkerder dan de meeste Europeanen. Je loopt gevaar vanwege je huidskleur.

In Amerika viel me op dat donkere Afro-Amerikanen hun lichter getinte landgenoten zowel verafgoden als bekritiseren. Waar komt die obsessie met pigment vandaan? Volgens wetenschappers is huidpigment voor een groot deel geografisch bepaald: mensen in warme landen, bijvoorbeeld langs de evenaar, zullen door de generaties heen een donkerder huid ontwikkelen om zich tegen de zon te beschermen. Mensen in het noorden hebben een lichtere huid om de beperkte hoeveelheid zonneschijn op een efficiënte manier om te zetten in vitamine D. Biologisch gezien is het heel simpel. Sociologisch gezien helaas niet.

Mijn huid heeft me in mijn loopbaan evenzeer geholpen als gehinderd. In 1997 kreeg ik van de Schotse fotograaf Albert Watson een opdracht aangeboden. Hij heeft alles en iedereen gefotografeerd; van Keith Richards tot honden die achter in een oude stationwagen uit het raam naar de woestijn van Las Vegas kijken. Toen ik zijn studio in Lower Manhattan betrad, stond er een gigantische, witte espressokop, groter dan een auto, op zijn kant op de grond. De shoot was voor een kalender voor het Italiaanse koffiemerk Lavazza. Het was de bedoeling dat ik op de rand van de kop zou poseren. Mijn huid moest de espresso symboliseren.

Albert was een aardige man, met wie het meteen klikte. Toen hij me echter vroeg om mijn kleren uit te trekken, werd ik heel nerveus. Het idee dat ik naakt moest poseren beviel me helemaal niet. Albert beloofde me dat hij het heel smaakvol zou doen en zei dat ik mijn slipje aan mocht houden. De visagist wreef een of andere soort olie in mijn huid om hem te laten glanzen en de stylist zette een enorme witte lelie op mijn hoofd, waardoor ik eruitzag als Carmen Miranda. Ik moest mezelf voorhouden dat dit mijn eerste echte grote opdracht was, waarmee ik achtduizend dollar zou verdienen. Daarmee zou ik mijn agentschap de zesduizend dollar die ze me hadden voorgeschoten kunnen terugbetalen.

Terwijl ik over de studiovloer liep, bedacht ik dat de angsten van mijn moeder bewaarheid werden. Ik ging naakt poseren voor geld. Bijna was ik de set af gelopen. Ik was zo zenuwachtig dat ik niet helder kon nadenken. Ik ging gewoon in de espressokop zitten en kruiste mijn benen. Mijn handen voelden klam aan en terwijl Albert foto's van me nam, kostte het me moeite mijn trillende lichaam tot bedaren te brengen.

Het zijn trouwens prachtige foto's geworden, maar naarmate de tijd verstreek, werd ik me meer en meer bewust van de interraciale verhoudingen in Amerika en Europa. Automatisch ben ik mijn foto's gaan vergelijken met alle beelden van zwarte mensen die door de decennia heen in de reclame zijn gebruikt: de bushbewoner op de bekers van Blackamoor, die in de jaren veertig in de handel waren; de Golliwogbuttons die je bij een pot jam kreeg; Little Black Sambo, die in de jaren zestig op de muren van een restaurantketen prijkte; en ten slotte Uncle Ben, wiens goedmoedige gezicht nog steeds rijst verkoopt.

Ik ben ervan overtuigd dat het niemands bedoeling was om mijn foto's op die manier te exploiteren, maar toch zijn we ons niet altijd bewust van onze drijfveren. De Lavazzareclame laat volgens mij zien op welke manier mensen worden getypecast. Enfin, ik hóéfde het niet te doen. Ik was gewoon heel blij dat ik een opdracht had.

Na een tijdje werd ik het beu om alleen maar als een 'black beauty' te worden beschouwd. Ter illustratie: in de video van Tina Turners titelsong van de James Bondfilm *Golden Eye* duik ik als een donkere, mysterieuze figuur op, een spook uit *Heart of Darkness*. Voor andere opdrachten moest ik vaak poseren op banken met een tijgerprint, ontsproten aan de Tarzanfantasie van een of andere binnenhuisarchitect. Of ik moest met een speer op de foto. Het viel me op dat journalisten het leuk vonden om te schrijven dat ik 'in de bush' in Afrika was ontdekt, alsof ik als een of andere inboorling in de jungle door een agent van een modellenbureau uit de modder was getrokken en getemd, zonder echter mijn on-getemde schoonheid aan te tasten. In werkelijkheid liep ik ge-woon in een spijkerbroek in Crystal Palace Park toen ik 'ontdekt' werd. De dichtstbijzijnde 'bush' was een keurig gesnoeide azalea. Ik ben dan wel Afrikaanse, maar ik ben niet primitief.

Aanvankelijk leken de mensen in de reclamewereld van mening te zijn dat ik alleen maar opdrachten kon doen waarvoor 'zwarte' kenmerken vereist waren. Dat kwetste me. Als ik op straat in New York op zoek was naar typisch Amerikaanse trekken, zag ik even vaak kroeshaar als steil haar. Ik zag mensen met een donkere en een lichte huidskleur, met dikke lippen en smalle, gewelfde lippen – van alles wat. Wat mij betreft komen er over de hele wereld mooie vrouwen voor, of het nu Indiase vrouwen zijn, blauwogige Amerikaanse of groenogige Mongools-Zweedse. Ik wist ook dat de meeste mensen niet zo'n beperkt wereldbeeld hadden dat ze zich alleen maar konden identificeren met beelden van mensen met dezelfde huidskleur.

Niemand heeft me ooit recht in mijn gezicht gezegd dat mijn ogen te ver uit elkaar staan of dat ik te lang was of dat mijn haar te stug was. Op go-sees werd ik echter vaak met een vreemde blik aangekeken. Ik zag mensen binnensmonds mompelen en hun hoofd schudden. Inwendig sprak ik mezelf dan toe: 'Ik zal jullie ongelijk bewijzen. Op een dag zullen jullie zien dat ik alleen mo-del ben vanwege een bepaalde "look". Ik ben geen kermisattractie, hoor!'

Daarom was het zo fijn om Mora aan mijn zijde te hebben. Ze geloofde echt in me. Toen ik aankondigde dat ik niet meer zou reageren op telefoontjes van fotograferen die 'zwarte meisjes' zochten, begreep ze me. Ik voelde me respectloos behandeld en deed niet mee aan die veekeuring. Ik wilde geen opdrachten waar-bij op basis van huidskleur werd gediscrimineerd of waarbij alle zwarte meisjes over één kam werden geschoren. Als er naar blanke meisjes wordt gevraagd, schiet je toch ook niet één bepaald blank model te binnen? Ik wilde met creatieve mensen werken die deze eendimensionale kijk op de wereld ontstegen waren. Mora was het me eens. Waarom was zwárt het enige criterium?

Schoonheid is een subjectief begrip. Ik heb mezelf nooit als een schoonheid beschouwd. Ik zag er net zo uit als mijn zusjes en alle andere Dinkameisjes. Allemaal waren we donker, lang en lenig. Bovendien had ik last van psoriasis; de weinige keren dat ik mezelf in een spiegel bekeek, was ik niet blij met wat ik zag.

Ik vind het grappig als mensen me tegenwoordig een 'Afrikaanse look' toedichten. Afrika is geen land, het is een reusachtig continent waar heel veel verschillende mensen wonen. Egypte maakt ook deel uit van Afrika. Madagaskar eveneens. We zijn allemaal anders. Een Ethiopiër zal bijvoorbeeld nooit voor iemand uit Ivoorkust worden aangezien. Er zijn lichte en donkere Afrikanen. Kleine en grote mensen. Er is geen schoonheidsnorm voor Afrikanen.

Eindelijk leek het besef tot de grote ontwerpers te zijn doorgedrongen dat Afrikanen mooi kunnen zijn. Hun inspiratie vinden ze in Marokko, de Nubische bergen, over het hele continent. Om de zoveel jaar zien we de Afrikaanse invloed terug in de collectie van Galliano, Ralph Lauren et cetera. Ze geven op een goede manier vorm aan hun inspiratie, dus zou het ook niet zo moeilijk moeten zijn om eens een keer modellen te gebruiken die niet blond en blank zijn.

In 1997 werd dit erkend door de fotograaf Gilles Bensimon, die toen creatief-directeur was bij de Amerikaanse *Elle*. In die tijd was dat tijdschrift de voorloper op het gebied van mode en voortdurend bezig de algemene opvattingen over schoonheid en reclame aan de kaak te stellen.

Ik ontmoette Gilles op een dag dat we allebei in Los Angeles aan het werk waren. We wisten toen nog niet dat we uiteindelijk samen een foto zouden gaan maken die mijn leven en het Amerikaanse schoonheidsideaal zou veranderen.

Hij kende mijn werk van een go-see die ik voor *Elle* in New York had gedaan. Regelmatig ging ik langs bij de belangrijkste modetijdschriften. Er werden dan polaroids van me genomen, die ze in de redactiekantoren aan de muur hingen. Zodra er een reportage gemaakt moest worden, kwamen de redactie en de fotografen bij elkaar en werden de modellen gekozen die het beste bij de kleding pasten. Gilles had mijn foto's in New York gezien, maar hij belde me voor een fotoshoot in een vervallen restaurant met een enorme jukebox in LA. Gilles draaide telkens plaatjes van Elvis op de jukebox waarop hij wild danste. Dat vond ik geweldig. Ik vond Gilles echt grappig. Normaal ben ik best verlegen als ik voor het eerst met iemand moet werken, maar tussen Gilles en mij klikte het direct.

Hij vertelde me over zijn ex-vrouw, Elle McPherson, een vrouw voor wie ik veel bewondering had. Gilles was iemand die, ondanks zijn frivole levensstijl, met beide benen op de grond stond. Na de fotoshoot bleef hij vragen om voor hem te werken. Ik ging een paar keer naar St Barths en de Hamptons, voor een strandreportage. Tijdens een van die fotoshoots stapte een model bijna op een slang. De hele crew gilde het uit van angst. Ik lachte alleen maar. Voor slangen was ik niet echt bang. Volgens mij vond Gilles dat wel stoer van me.

Net als ik hield hij van schilderen. We hadden het er vaak over hoe heerlijk het was om met olieverf en kwasten bezig te zijn. Telkens wanneer ik zijn studio binnenkwam, viel me een schilderij op waar hij mee bezig was. Ik zei dat ik het erg mooi vond. Toen ik jaren later zijn studio binnenkwam, hing het er nog steeds. 'Jij vond het toch altijd zo mooi? Je mag het hebben.' Hij signeerde het doek en nu hangt dit mooie, kleurige schilderij in mijn huis.

We werkten lange tijd samen en mijn foto's verschenen voortdurend in *Elle*. Ik vond het geweldig. Vreemd genoeg kwamen de andere meisjes met wie hij werkte wél op de cover van *Elle*. Als je met je foto op de cover staat, heb je het gemaakt in de modewereld en krijg je van alle kanten werk aangeboden. Foto's binnen in een tijdschrift vallen minder op. Met een coverfoto word je door iedereen herkend. Dan pas bén je iemand. Als zo'n foto een directeur van een bedrijf aanspreekt, kan hij een campagne op jou baseren. Het was dus belangrijk voor mij om op een cover te komen. Mora en ik begonnen ongeduldig te worden. Er ging een jaar voorbij. Op bijna elke cover van *Elle* stond een blank model. Mijn agent pakte de telefoon.

'Ik wil haar op een cover zien, Gilles,' zei ze. 'De tijd is er rijp voor. Ze heeft al zo vaak in een tijdschrift gestaan. Het is gewoon niet eerlijk. Alleen omdat ze Afrikaanse is. Jullie zijn gewoon te bang.'

We wisten allemaal dat de marketingafdeling huiverig was om donkere modellen op de cover van modetijdschriften te zetten. Volgens hen had onderzoek uitgewezen dat alleen tijdschriften met een blank meisje of een meisje met een 'traditioneel' Amerikaans uiterlijk op de cover goed verkocht werden. Sinds het zwarte model Katiti Kironde II in 1961 voor het eerst op de cover van een vrouwenblad was verschenen, waren er niet veel donkere modellen in haar voetsporen getreden. *Elle* had wel eens een zwart model, zoals Naomi Campbell, op het omslag gehad, maar die had altijd min of meer geaccepteerde gelaatstrekken. Geen van hen leek op mij.

We bleven Gilles erover aan zijn hoofd zeuren. Hoewel hij een invloedrijk man was, lag het uiteindelijke besluit niet bij hem. Hij had me zo vaak gebruikt voor foto's ín het tijdschrift, dus mijn uiterlijk was het probleem niet. De directie was echter bang voor inkomstenverlies wanneer ze mij op de cover zouden zetten. Maar ten slotte durfden ze het toch aan.

Gilles belde Mora. Alles was in een vloek en een zucht geregeld en het werd de snelste fotoshoot die ik ooit had gedaan. Hij liet me poseren in een effen wit Armani-jasje, dat tot mijn navel open stond. Zoals altijd liep hij te dollen en moest ik om hem lachen

'Blijven lachen,' zei hij, 'maar probeer ook heel even stil te staan.'

Ik stond stil.

Hij maakte de foto.

En die foto werd mijn allereerste cover. Ik was er trots op. Gilles had me iets van opzij gefotografeerd zodat mijn borst onder het geopende jasje te zien was. Niet dat er meer te zien is dan huid. Ik kijk met een halve glimlach recht in de lens. Het was een elegante en tegelijk frisse foto. Gilles had niet geprobeerd mijn natuurlijke gelaatstrekken – volle lippen, zwarte huid, kroeshaar – te verdoezelen. Het was een prachtige foto van mij tegen een witte achtergrond en met gouden letters.

Het nummer ging als zoete broodjes over de toonbank en alle kranten en tijdschriften in Amerika schreven erover dat met deze cover onze traditionele opvatting over schoonheid ter discussie werd gesteld. In de *New York Times* verscheen een interview met Gilles.

'Wat ik met die cover wil zeggen is: niemand is uit, iedereen is in,' zei hij.

De reacties van de lezers waren overweldigend. Duizenden vrouwen en heel wat mannen waren vol lof over de foto. De reacties kwamen van Chinezen, indianen, Afro-Amerikanen, Indiërs, Brazilianen, Guatemalanen, Fransen, Engelsen en IJslanders. Bijna iedereen vond de coverfoto emanciperend.

'Hé, bedankt dat ík op de cover sta. Eindelijk kan ik me met iemand identificeren,' schreef een meisje.

'Geweldig,' schreef een jongen. 'Ik ben een blanke tiener, maar door Alek Wek op de cover te zetten wordt mijn wereld groter. Ga zo door!'

Oprah Winfrey nodigde me zelfs uit in haar show. Ik vind Oprah een buitengewoon aardige, intelligente vrouw, dus dat was een van de hoogtepunten in mijn leven. Ze vertelde me hoe zij het had ervaren om op te groeien in een wereld waarin een zwarte huid niet op waarde werd geschat en waarin iedereen, ongeacht zijn of haar natuurlijke eigenschappen, moest voldoen aan het beeld van de blanke Amerikaanse schoonheid. 'Er breekt een nieuwe tijd aan, Amerika,' verklaarde ze ten overstaan van de kijkers. 'Als jij in mijn jeugd op de cover van een tijdschrift had gestaan, had ik een heel ander beeld gehad van wie ik ben.'

Die coverfoto bracht me zoveel roem als ik nooit voor mogelijk had gehouden. Het positieve aspect ervan was dat ik nu een stem had gekregen. Voor veel mensen betekende die foto een bevrijding van de tirannie van de mode. Ik herinner me dat ik op een middag door 14th Street in New York liep en er een verpleegkundige naar me toe kwam. Ze zei: 'Normaal spreken modellen me helemaal niet aan, maar jij bent echt geweldig. Jij bent echt.'

Bij mijn huis in Brooklyn werd ik door allerlei meisjes aangehouden. Ze omhelsden me. Volkomen vreemden voor me. Er verschenen artikelen in alle tijdschriften en de televisie zond reportages uit. Zelfs mensen die niets met mode te maken hadden spraken over die ene cover. Ik was stomverbaasd. Soms voelde ik me een soort kermisattractie.

Daarna kreeg ik meer mogelijkheden, maar in de modewereld bleef ik op institutioneel racisme stuiten. Niet dat de mensen die ik tegenkwam openlijk racistisch waren – ze gingen bijvoorbeeld niet naar KKK-bijeenkomsten – maar ze gedroegen zich wel volgens vooroordelen die ze van generatie op generatie hadden meegekregen. Tijdens mijn tweede seizoen op de catwalk bijvoorbeeld wilde ik graag met Karl Lagerfeld werken, maar volgens de mensen in Parijs was ik niet geschikt voor hem. Met andere woorden: ik was te 'exotisch'. In hun ogen ging Chanel niet samen met exotisch – of zwart.

Ik regelde een go-see en hij vond me perfect. Karl is een creatieve geest, die voortdurend werkt en nieuwe ideeën bedenkt. Hij is zeker niet iemand die in het verleden blijft hangen. Hij was van mening dat mijn gelaatstrekken en mijn look de toekomst van de mode vertegenwoordigden. Ik heb veel voor hem gewerkt en jaren later, toen ik mijn tassenlijn begon, heeft hij me tal van adviezen gegeven.

Een paar jaar geleden vroeg Karl me voor de Chanelshows in Parijs. Ik voelde me bijzonder vereerd, alleen al om erbij te mogen zijn. Dus toen hij me de bruidsjurk liet passen waarmee de shows traditioneel afsluiten, was ik helemaal ondersteboven.

'De schoonheidsnormen zijn veranderd en zij staat symbool voor de moderne visie op schoonheid,' zei Lagerfeld tegen een televisieverslaggever die naar zijn atelier in Parijs was gekomen. 'Het is belangrijk om haar te laten zien, want de wereld bestaat niet alleen maar uit mensen met een lichte huidskleur.'

Met John Galliano, de waanzinnig creatieve Britse ontwerper, had ik een vergelijkbare ervaring. Ik had een paar keer met hem gewerkt en we konden het goed met elkaar vinden. Ik was inmiddels vier jaar werkzaam als model, toen John voor Dior ging werken. Ik had nog nooit iets voor Dior gedaan en dit leek me een geweldige kans.

Ik drong er bij mijn Parijse agent op aan om een opdracht voor me te regelen. Men zag mij echter niet zitten. Ik begreep er niets van. Ze konden me toch op zijn minst een keer zijn ontwerpen zien dragen voordat ze me afschreven. We bleven ze erover lastigvallen totdat ze uiteindelijk toegaven. 'Oké dan,' zeiden ze. 'Stuur haar maar een keer langs.'

Toen ik bij Dior binnenkwam, waren ze helemaal geobsedeerd

door kant. Wit, roze en babyblauw kant, hoeden uit de jaren dertig en camee broches. Ik paste een lichtblauwe, met lovertjes bezette sluier, een hoed en heel veel sieraden. Zo liep ik naar John en de anderen toe. 'Loop eens heen en weer,' zeiden ze.

Terwijl ik heen en weer liep, wist ik het. Ik zag er fantastisch uit. Heel af en toe heb ik dat gevoel.

Ik keek naar hun ogen. Ze keken elkaar aan. Ik hoopte maar dat ze me zouden boeken. Toen ik Galliano zag glimlachen, viel ik bijna flauw.

Ze zeiden niets. Ze namen alleen maar een polaroid van me en stuurde me naar huis.

Terwijl ik naar de metro liep, ging mijn telefoon.

'Hij vond je geweldig!' zei Mora.

Hoewel de cover op de *Elle* me een heel eind op weg had geholpen, ging mijn leven als zwart model toch niet over rozen. Eén ding stond vast: nadat mijn coverfoto de rassenbarrière had doorbroken nam mijn carrière een hoge vlucht. Logisch. Het gaat per slot van rekening om geld. Men ging beseffen dat geld geen kleur had. Mijn uiterlijk verkocht net zo goed als dat van elk ander topmodel. Na verloop van tijd zou ik door *i-D* Magazine worden uitgeroepen tot 'Model van het decennium', door *People* Magazine tot een van de 'Vijftig mooiste mensen' en door zowel *i-D* als *Frank* een van de 'Vijftig meest invloedrijke gezichten in de mode'.

Ik houd niet van klagen. Ik heb heel veel bereikt in mijn leven. Toch blijft het lastig om je als zwarte vrouw in de moderne wereld staande te houden. Totdat ik naar Khartoem ging, was ik me in Soedan nooit zo bewust geweest van mijn huidskleur. In Engeland scholden de kinderen op school me uit voor roetmop. De meeste blanke mensen negeerden me volkomen of behandelden me als een of ander exotisch type waar ze bang voor waren of medelijden mee hadden.

In New York zijn de reacties zo verschillend dat ik niet kan voorspellen wat er op een dag gaat gebeuren. Ik word door veel mensen – mannen, vrouwen, jong en oud, wit en zwart – herkend en krijg positieve reacties. Er zijn Afrikaanse mannen die op straat spullen verkopen, zoals imitatiehorloges en -handtassen. Als ik over Canal Street loop, roepen ze me na in talen die ik niet versta. Ze denken dat ik een van hen ben, maar ik ben een Dinka uit Soedan. In Parijs kwam een Afrikaanse jongen op me af die zei: 'Jij komt uit Perl. Jij komt uit Perl.' Ik antwoordde: 'Nee, dat is niet zo.' Hij had het helemaal mis, maar ging puur op mijn uiterlijk af. Bovendien begreep ik niet waar hij het over had.

Er overkwamen me de vreemdste dingen. Een keer kwam een vrouw op een station op me af en hield vol dat ik Waris Dirie was, het Somalische model die het boek *Mijn Woestijn* had geschreven. Ik zei dat ik me gevleid voelde, omdat ik Waris een mooie vrouw en haar boek erg goed vind, maar dat ik iemand anders was. Ook word ik vaak aangezien voor Naomi Campbell, wat ik eigenlijk heel vreemd vind omdat we totaal niet op elkaar lijken.

Niet zo lang geleden liep ik met mijn vriend Ricardo door een straat in Fort Greene, Brooklyn, niet ver van mijn huis. Ricardo is Italiaans, heeft een lichte huid en is ongeveer een meter tachtig lang. Hij is er inmiddels aan gewend dat mensen ons op straat aanstaren alsof we een of andere rare combinatie zijn. Die dag waren we hand in hand op weg naar een brunch, toen we door een auto vol met mannen met dreadlocks werden gepasseerd. De auto remde af en een van hen riep met een zwaar West-Indisch accent: 'Vuile verraadster!'

Kennelijk kon hij er niet tegen dat een Afrikaans model hand in hand liep met een blanke man.

Ricardo maakte zich er niet druk over. Hij begreep het wel. We liepen gewoon met opgeheven hoofd verder.

Soms werd het stereotyperen zo erg en respectloos dat het me boos maakte. Na voor een paar opdrachten in Europa te zijn geweest landde ik een keer op JFK. Ik reis met een Brits paspoort, maar ik heb een 'green card' waarmee ik in Amerika kan wonen en werken en die me bijna evenveel rechten geeft als een genaturaliseerde burger. Ik betaal belasting. Ik heb een huis en een bedrijf in tassen. Alles wat ik doe is legaal.

Toen ik bij het loket van de immigratiedienst kwam, werd ik door de ambtenaar van de Homeland Security van top tot teen bekeken. Ook mijn paspoort werd zeer zorgvuldig onder de loep genomen.

Niet weer, dacht ik. Inmiddels heb ik geleerd om in dit soort situaties mijn mond te houden. Het heeft geen zin om iets te zeggen, want als je iets zegt, loop je het risico de irritatie van de ambtenaar op te wekken. Ik ben al zo vaak extra streng gecontroleerd. Ik besef dat ik, als succesvolle zwarte vrouw – en niet zo'n kleintje bovendien – bij veel mensen vijandige en achterdochtige gevoelens losmaak. Het maakt niet uit of het zwarten, blanken, vrouwen of mannen zijn. Het verbaast me nog steeds dat dit zelfs in Amerika en Europa het geval is, waar mensen toch zo goed opgevoed en beschaafd heten te zijn. Enfin, de immigratiemedewerker stuurde me naar een klein kamertje dat speciaal bedoeld is voor potentiële terroristen, illegalen en dat soort mensen. Ik ben er wel vaker geweest. Ze namen een foto van me en mijn 'green card' werd nogmaals bestudeerd. Ze controleerden mijn vingerafdrukken nog eens grondig. Ze stelden zich buitengewoon hard, koel en argwanend op. Ik werd tweeënhalf uur vastgehouden. En dat terwijl ik zojuist businessclass vanuit Berlijn had gevlogen, chique kleren droeg, een tas van eigen ontwerp bij me had waarop zelfs een klein koperen plaatje met mijn naam zat. Al mijn papieren waren in orde en toch lieten ze me niet gaan. Omdat ik zwart ben? Ik kan het niet bewijzen, maar de ervaring heeft me geleerd dat mijn huidskleur in dit soort zaken wel degelijk een rol speelt.

Een paar weken later was ik op weg naar een andere klus. Ik zou eerst naar Londen, dan naar Parijs, vervolgens naar Nairobi en ten slotte terug naar New York vliegen, en dat allemaal binnen zes dagen. Ik was moe, dus ik verheugde me erop rustig met een kopje thee in de businessclasslounge op JFK op mijn vlucht te kunnen wachten. De man aan de balie, aan wie ik mijn instapkaart overhandigde, bekeek me met een onderzoekende blik. Hij haalde de kaart door een apparaat en zei: 'In orde. U mag plaatsnemen.'

Ik zette mijn tas neer en haalde een kopje thee. Juist toen ik een slokje wilde nemen, klonk er een stem door de luidspreker.

'Mevrouw Alek Wek, wilt u alstublieft naar de balie komen?'

Ik keek in mijn tas of ik misschien mijn instapkaart op de balie had laten liggen. Dat was niet zo, dus liep ik naar de man toe.

'Had u mij geroepen?'

Hij keek niet op van zijn computerscherm. Ik bleef een ogenblik zwijgend voor hem staan. Toen keek hij op. Op zijn gezicht lag een minachtende uitdrukking.

'Ik heb uw gegevens nog even bekeken,' zei hij.

'O ja?'

'Mag ik uw instapkaart nog eens zien?'

Ik overhandigde mijn kaart.

'Weet u zeker dat u businessclass reist of heeft u uw kaart zelf opgewaardeerd?'

'Dat hebt u toch zelf gezien? Ik heb ermee ingecheckt.'

'Ik weet niet of u in de businessclasslounge mag,' zei hij. Hij bekeek me van top tot teen. Ik wist zeker dat het niet om mijn ticket ging maar om mij.

'Wat zegt u?'

'Ik weet niet of ik u in de businessclasslounge mag toelaten.'

Even was ik met stomheid geslagen.

'Waar komt u vandaan?' vroeg hij.

'Wat heeft dat er nu mee te maken? Ik heb een businessclassticket en ik zou graag even een kopje thee willen drinken. Daarna ben ik hier weg en kunt u verder met uw werk. Wilt u me nu met rust laten?'

Ik was woedend. Ik liep terug naar mijn stoel om te voorkomen dat ik hem iets zou toeschreeuwen. Ik reis altijd met dezelfde luchtvaartmaatschappij en met hetzelfde reisbureau. Deze man zocht problemen. Hij zocht naar een manier om mij te kleineren. Daar was ik niet van gediend. Ik vond het vernederend en ik ben ervan overtuigd dat hij zich ten opzichte van een man, met name een blanke man, heel anders zou hebben opgesteld.

Ik was hels. Toen ik een paar minuten op mijn stoel zat, kwam de man plotseling naar me toe en overhandigde me mijn instapkaart.

'Het is in orde,' zei hij.

'Nee, het is niet orde,' zei ik.

'Hoe bedoelt u?'

'U hebt het recht niet me zo te ondervragen. Wat u eigenlijk wilt zeggen, is dat ik geen dure stoel verdien. Dat ik me dat niet kan permitteren. Dat ik niet goed genoeg ben om businessclass naar Europa te reizen. Waarom eigenlijk? Waarom pikt u mij eruit? Omdat ik een Afrikaanse vrouw ben?'

Hij zweeg. Vervolgens liep hij weg. Eindelijk kon ik rustig mijn thee opdrinken. Terwijl ik zat te wachten, zat de dienst van de man er kennelijk op, want er zat iemand anders bij de uitgang van de businessclasslounge: een jonge Afro-Amerikaanse vrouw met mooi, lang haar.

'Alek Wek!' riep ze opgewonden toen ze me zag. 'Hoe gaat het met je?'

Ik had haar wel vaker gezien wanneer ik op een vlucht moest wachten. Het was een leuke vrouw. Na dat incident had ik een aangename vlucht naar Londen.

Geloof het of niet, maar toen ik na die marathonreis terugkwam in New York werd ik weer door de Homeland Security vastgehouden. Ik was doodmoe en voelde me beledigd. Ik begreep niet wat er aan de hand was. Een paar weken geleden had ik hetzelfde moeten meemaken. En weer werd ik door dezelfde man ondervraagd. Deze keer werd ik doorgezaagd over mijn reizen. Waarom was ik in Afrika geweest? Hij bestudeerde elke bladzijde van mijn paspoort. Waarom was ik een jaar eerder in Egypte geweest? Waarom dit? Waarom dat?

'Ik ben model. Ik moet reizen voor mijn werk,' zei ik.

Hij keek me aan alsof hij me niet geloofde. Ik vroeg me af of Cindy Crawford ook zo behandeld wordt.

'Waarom word ik ondervraagd?'

'In het belang van uw eigen veiligheid.'

'Ik voel me absoluut niet veilig.'

Het is net een gevangenis daarbinnen. Je mag je telefoon niet gebruiken om hulp in te roepen. Ze zeggen niet hoe lang ze je zullen vasthouden. Er ging weer een uur voorbij. Ik stond op, liep naar de man toe en zei dat ik wist wat mijn rechten waren.

'Uw rechten?' zei hij smalend.

Ten slotte, na tweeënhalf uur, zette hij een stempel in mijn paspoort.

'Ik dacht dat u Naomi Campbell was,' zei een van de andere beambten.

Ik schudde alleen maar mijn hoofd en liep weg. Ik kon het niet opbrengen om dankjewel te zeggen.

Toen ik op mijn bagage stond te wachten, kwam er een vrouw op me af. 'U lijkt precies op dat ene model,' zei ze. 'Ze komt uit Afrika en ze heeft heel kort haar. U lijkt precies op haar.'

'O ja?' zei ik.

'Echt waar,' zei ze. 'Het is ongelofelijk.'

Ik was te moe om met haar te praten. Maar ik waardeerde haar interesse.

Ik stapte in de auto en probeerde alle nare incidenten die me op deze reis waren overkomen, achter me te laten. Ik wilde de negatieve gedachten niet opnieuw toelaten. Ik neem nooit twee keer dezelfde route. Dat is Dinka eigen. Als je dezelfde weg bewandelt, kom je op dezelfde plek uit, of erger. Ik bemoei me liever niet met anderen en ga mijn eigen weg. Ik wil vooruit.

10

Op een zonnige zaterdagochtend belde ik met Mora en kwam het gesprek op appartementen. Veel New Yorkers zijn geobsedeerd door de huizenmarkt omdat het bijzonder lastig is een goed appartement te vinden. Het was begin winter en ik betaalde meer dan duizend dollar per maand voor een hok van drieënhalf bij vier in Lower East Side. Mijn huisbaas had in een eenkamerappartement een flinterdunne wand opgetrokken en de woning verhuurd als twee eenkamerappartementen. Ik moest het doen met een gebarsten gootsteen en een driepits gastoestel. Bovendien was de woning zo gehorig dat ik mijn buren hun keel kon horen schrapen. Ik had het gevoel dat ik mijn geld in een bodemloze put stortte.

'Kom anders vandaag huizen kijken in Brooklyn,' zei Mora. 'Je hebt hier prachtige woningen en ze zijn lang niet zo duur.'

Ik vond het een spannend idee. Ik had haar buurt altijd erg leuk gevonden. Ik verdiende meer geld dan ik ooit bij elkaar had gezien en hoopte dat ik een mooie woning kon vinden in Brooklyn. Ik nam de trein naar Clinton Hill, een wijk die in die tijd – 1998 – net in de lift zat en, evenals als het naburige Fort Greene, een van de leukste en gewildste wijken van Brooklyn zou worden. Uiteraard wisten we op dat moment niet wat er in de loop der jaren met de onroerendgoedprijzen in Brooklyn zou gebeuren. Toentertijd vond het merendeel van de inwoners van Manhattan het een ruige, afgelegen wijk.

Mora en ik genoten er altijd van om met een muziekje op de radio door delen van de stad te rijden waar we nog nooit waren geweest. Het beloofde een mooie dag te worden, zelfs als we geen huis zouden vinden. We reden in haar jeep naar Fort Greene en bekeken het huizenaanbod in de etalages van diverse makelaars. Om een of andere reden werd mijn oog steeds naar de categorie 'Te koop' getrokken.

'Deze ziet er leuk uit,' zei Mora. Ze wees op een drie verdiepingen tellend huis van rode baksteen. De vraagprijs was 395.000 dollar.

'Ben je gek? Je weet toch dat ik niet zoveel geld op mijn bankrekening heb staan.'

'Dat leen je dat toch, Alek? Je neemt een hypotheek.'

'Geen denken aan!' In de Dinkacultuur is geld lenen iets ongehoords. Mijn moeder had me geleerd dat ik nooit iets moest kopen wat ik me niet kon veroorloven of niet direct kon betalen. Het idee om een hypotheek op een huis te nemen stond mijlenver van me af en ik vond het bespottelijk dat je eerst honderdduizend dollar zou lenen om uiteindelijk tweehonderdduizend dollar terug te betalen aan de bank.

'Laten we gewoon een lijstje met koophuizen maken en er een paar gaan bekijken,' zei Mora. 'Kijken kan geen kwaad.'

'Oké. Maar ik koop niet iets wat ik niet kan betalen.'

We bekeken die ochtend een tiental huizen. We lachten heel wat af, want de meeste huizen waren afschuwelijk. Onvoorstelbaar dat mensen in dat soort huizen konden wonen. In een van de huizen die we bezichtigden stonk het zo – de eigenaar had tien katten – dat ik sommige kamers liever oversloeg. Van een ander huis vreesde ik dat het zou omvallen omdat het vervaarlijk naar links overhelde. Bij weer een ander huis lagen de ramen direct aan de straat en was ik bang dat mijn spullen gestolen zouden zijn voordat de verhuiswagen was vertrokken.

Ondertussen vroeg ik me af hoe ik in vredesnaam een huis kon betalen. Een hypotheek schrok me af, maar aan de andere kant zette Mora's uitleg me toch aan het denken. Wanneer ik tien procent van de koopsom aanbetaalde, kon ik de rest van het bedrag tot na mijn vijftigste in maandelijkse termijnen afbetalen. Het klonk idioot, maar ik besefte dat het nog veel idioter was om huur te blijven betalen.

Het laatste huis dat we die dag bezochten was het rode bakstenen huis dat ik in de etalage van een van de makelaars zo mooi had gevonden. Om een of andere reden deed het me denken aan ons huis in Wau, hoewel beide huizen helemaal niet op elkaar leken. Het straalde een soort energie uit die me aansprak en me een thuisgevoel gaf.

Toen we naar de voordeur liepen, zei de makelaar: 'Dit huis is nogal klein vanbinnen, in tegenstelling tot de meeste andere huizen in dit blok, die zeer ruim zijn. Ik wil niet dat u zich teleurgesteld voelt.'

De benedenverdieping was al meteen een verrassing. Ik keek mijn ogen uit, zo mooi vond ik het.

'Het is helemaal gerenoveerd,' fluisterde Mora tegen me.

'Zou het niet heerlijk zijn om een eigen huis te bezitten?' zei ik.

We liepen de trap op naar de eerste verdieping. 'O, mijn god,' riep ik uit toen we de woonkamer betraden. De kamer had een hoog plafond, een prachtige open haard en wandhoge ramen waar het zonlicht door naar binnen stroomde. De makelaar glimlachte. Ze kon aan me zien dat ik het prachtig vond.

'Kom, dan gaan we naar de bovenverdieping,' zei ze.

Ik keek Mora verbaasd aan.

'Wist je niet dat het huis nog een verdieping heeft?'

Ik kon het niet geloven. Ik dacht dat we alles al hadden gezien. Mora nam me apart en zei: 'Alek, je moet hier echt gaan wonen. Dit huis past perfect bij je.'

'Ik kan het helaas niet betalen,' zei ik. 'Het kost bijna vierhonderdduizend dollar!'

'Nou en? Je werkt er keihard voor. Je verdient het een eigen huis te hebben.'

De makelaar liet ons weten dat een andere potentiële koper op het punt stond een bod uit te brengen en dat het huis snel weg zou zijn.

In de jeep zei Mora: 'Zorg dat je dit huis krijgt.'

Het was kort voor Kerstmis en ik zou naar mijn moeder in Londen gaan.

'Annuleer die reis,' raadde Mora me aan.

En dat deed ik. Mora stond me gedurende de hele koopprocedure bij. Ik liet een technisch onderzoek doen en zette mijn boekhouder en financieel adviseur, die in Cleveland woonde, aan het werk om de papierwinkel te regelen. Al doende leerde ik meer over hypotheken. Gelukkig had ik vertrouwen in hem.

Hij reageerde geschokt toen hij de vraagprijs hoorde.

'In Cleveland krijg je voor dat geld een villa met zwembad en een garage voor vier auto's,' zei hij.

'Maar dit is New York en niet Ohio. In Timboektoe krijg je voor dat bedrag een hele straat. Maar daar wil ik niet wonen. En ook niet in Ohio.'

Voordat ik een bod zou doen, wilde hij het huis eerst zien. Hij was zo aardig om vanuit Ohio naar New York te komen vliegen om de woning te bezichtigen. Nadat hij via een ladder het dak had beklommen, keek hij om zich heen en zei: 'Je haalt je heel wat op de hals.'

Ik vertelde hem dat ik voor mijn kleine appartement in Manhattan ook al twaalfhonderd dollar per maand aan huur, gas, water en licht kwijt was.

'Je wilt het echt heel graag, hè?'

'Ja, mijn besluit staat vast.'

Het verbaasde me zelf ook dat ik het huis zó graag wilde hebben.

'Oké, dan ga ik aan de slag.' Na het zien van het taxatierapport, besefte hij dat het een redelijke prijs was.

De andere potentiële koper bleek met de kerst de stad uit te gaan. Ik bleef in New York, betaalde een waarborgsom van tien procent en werd eigenaar van het huis. Van de ene op de andere dag zat ik met een hypotheek die me meer kostte dan mijn huur. Later heb ik mijn hypotheek kunnen omzetten naar een met een rente van vijftien procent. Wauw, dacht ik, als ik veertig ben is dit huis helemaal van mij. Ineens behoorde ik tot de gegoede burgerij met een hypotheek en onderhoudskosten.

Ik kocht meubels, zij het niet al te veel. Toen ik een shoot deed voor Coach, een bedrijf in lederen producten, stelde ik voor dat ze me in meubels zouden uitbetalen. Ze gaven me twee schitterende leren banken, die ik in mijn woonkamer zette. Het huis stimuleerde me om harder aan mijn carrière te gaan werken. Ik besefte dat als ik meer nodig had, ik ook meer moest werken. Dan kwam het vanzelf goed. Daarnaast stak ik meer tijd in schilderen omdat ik ruimte genoeg had om een kamer in te richten als atelier.

Opnieuw veranderde er veel in mijn leven. Ik begreep al snel dat ik een rijbewijs moest halen omdat Brooklyn erg groot is. In Soedan had ik wel eens in een auto gezeten, maar ik had nog nooit zelf gereden. Ik nam les bij een autorijschool. Ik vond het moeilijk maar wel leuk. Hoewel mijn rijinstructeur doodsangsten uitstond, slaagde ik uiteindelijk voor mijn rijexamen. Ik kocht een jeep en was daarmee de eerste in mijn familie die een auto bezat.

'Welkom in Amerika, Alek,' zei mijn moeder toen ze een keer op bezoek kwam en mijn huis en auto zag. Ze kon het maar niet geloven. We hadden er altijd van gedroomd een eigen huis te bezitten. En daar zaten we dan, in mijn huis. Het maakte me nederig. Ik had bereikt waar zoveel immigranten op hopen wanneer ze naar Amerika gaan.

In de hal van mijn huis hangt een portret van mijn vader dat ik ooit van hem schilderde. Het is een groot werk – wel 1.30 m breed – in zwart-wittinten. Wanneer ik naar dit schilderij kijk, voel ik me thuis.

Ondanks mijn succes had ik het gevoel dat ik iets miste in mijn leven. Op televisie had ik reportages gezien over Soedan, zoals onder meer een uitzending over de 'Verloren Jongens'. Mijn hart ging uit naar mijn vaderland. De Verloren Jongens van Soedan was een project van het International Rescue Committee dat erop was gericht Soedanese jongens die in de oorlog hun huis en familie hadden verloren een nieuw thuis te geven. De jongens hadden zich in groepen verzameld en waren de bush in gevlucht voor de door de regering gesteunde milities die de Zuid-Soedanese dorpen aanvielen.

Sommigen van deze jongens waren zo moedig geweest naar Ethiopië en Kenia te trekken. De meesten hadden geen geld en nauwelijks te eten. Eén jongen legde naakt honderden kilometers af omdat hij nergens kleren kon vinden. Het ging vooral om jongens omdat meisjes vaker werden ontvoerd of met de rest van het gezin werden vermoord.

Uiteindelijk werden ongeveer vierduizend van deze jongens in Amerika gehuisvest. Ik leefde met deze kinderen mee en gebruikte mijn bekendheid om de inwoners van de Verenigde Staten en Europa bewust te maken van de schrijnende situatie in Soedan. In de modebladen en kranten werd veel over me geschreven. Ik besefte dat het een voorrecht was mijn stem te kunnen laten horen en wilde die kans niet voorbij laten gaan. Ik wilde meer dan alleen maar genieten van mijn mooie huis en mijn succes. Bovendien voelde ik me schuldig. Waarom was ik nog in leven en had ik het goed terwijl zoveel van mijn landgenoten leden?

In die tijd – ik spreek over 1999 – was de situatie in Soedan ten hemel schreiend. Hele Dinkadorpen werden door het leger en de milities platgebrand. Soms werden de vrouwen en kinderen gedwongen in hun hut te gaan zitten en levend verbrand. Milities op kamelen reden op mannelijke stamleden in en hakten hun ledematen af. Er gebeurden de afgrijselijkste dingen. Ik voelde me tegelijk machteloos en kwetsbaar omdat ik zelf ook vluchteling was geweest. Als je ooit door een oorlog uit je huis bent verdreven, voel je je nergens ter wereld meer veilig. Ik had te veel dood en verderf meegemaakt om de toekomst met vertrouwen tegemoet te kunnen zien.

Ik wilde geen leven leiden waarin alles om mij draaide. Dat gaat tegen mijn natuur in. Maar ik wist ook niet precies hoe ik de aandacht op Soedan kon vestigen. Mijn vrienden luisterden altijd geboeid wanneer ik over de situatie in mijn land vertelde.
'Je bedoelt dat mensen daar sterven?'
'Ja. Ze worden vermoord. Hun huizen worden platgebrand.'
'Waarom lezen wij daar nooit iets over in de krant?'
Goede vraag. Ik besloot daar verandering in te brengen.

Tijdens interviews begon ik mijn levensverhaal te vertellen en over Soedan te praten. Meestal wilden journalisten van alles weten over de glamourkant van het vak, zoals de catwalkshows en de fotoshoots. Om hun belangstelling vast te houden vertelde ik daar iets over, maar begon ik in de loop van het gesprek over Afrika. De interviews werden gepubliceerd. In de *New York Times* verscheen een interview met mij dat veel belangstelling trok, onder andere van een medewerker van het us Committee for Refugees and Immigrants (USCRI).

Ze vroegen me in een brief om medewerking. Ze boden me hoop. Ook zij geloofden in een betere toekomst voor Soedan. Ze kwamen als door God gezonden.

'Die mensen zijn geweldig,' zei Mora tegen me toen ze de brief las.

Ik had een gesprek met een aantal medewerkers van het comité en werd hun woordvoerder. We bespraken zelfs de mogelijkheid om gezamenlijk naar Soedan te gaan. Ik begon op New Yorkse scholen mijn levensverhaal te vertellen. De kinderen luisterden altijd geboeid en stelden veel vragen. Ze vonden het moeilijk te bevatten dat er in een land zulke verschrikkelijke dingen konden gebeuren. Ik besefte dat ik het zelf ook nooit echt had begrepen.

Ik was er vast van overtuigd dat we iets voor mijn landgenoten konden betekenen. Ik herinnerde me uit mijn jeugd dat UNICEF waterputten had geslagen in Wau, waardoor de hele stad van schoon water werd voorzien. De putten betekenden een grote verbetering in ons leven. Er waren meer waterputten nodig, in heel Soedan, met name op het platteland waar men vaak twee uur moest lopen om aan drinkwater te komen.

Mora en ik vlogen naar Washington DC, waar we een afspraak hadden met Roger Winter, de voorzitter van USCRI. Ik was nerveus. Mijn achtergrond had me niet bepaald voorbereid op de omgang met belangrijke politici en ik betwijfelde of het goed zou gaan. Roger Winter bleek echter een geweldig mens. Hij was zeer begaan met de situatie in Soedan en was beter op de hoogte van de feiten dan ikzelf. Ik was weg van hem.

Op zijn vraag of ik samen met hem naar Soedan wilde reizen om wereldwijd aandacht te vragen voor de schrijnende situatie aldaar, zei ik dat ik niet terug kon. Ik had mijn Soedanese paspoort afgegeven aan de Britse douane en vreesde dat die beslissing de woede zou wekken van de Soedanese regering. Als het regime me in handen kreeg, zou ik vermoedelijk geen toestemming krijgen om het land weer te verlaten, omdat ik een bekende vluchteling was die publiciteit zou kunnen trekken.

Toen hij over mijn eventuele terugkeer naar Soedan begon, kwamen er zoveel herinneringen in me boven dat ik in huilen uitbarstte. Ik was inmiddels zo'n tien jaar weg uit Kharthoem en het idee terug te gaan beangstigde me. Mora had met me te doen en huilde met me mee. Na een poosje besefte ik echter dat ik mijn angst alleen kwijt zou raken als ik de confrontatie met mijn vaderland aanging.

De situatie in Soedan was verschrikkelijk. President Bashir trad harder dan ooit op tegen niet-moslims en had vrouwen verboden in het openbaar te werken. Kort daarvoor was een farmaceutische fabriek, die volgens de Amerikanen in handen was van terroristen, op last van president Clinton gebombardeerd. Ik probeerde me voor te stellen wat me had kunnen overkomen als ik in mijn land was gebleven. Verkrachting, moord, slavernij. Ik kon het wel uitschreeuwen, maar besefte dat ik mijn stem moest gebruiken op een manier dat de hele wereld me zou horen. Door terug te keren naar Soedan kon ik publiciteit maken voor USCRI.

Roger Winter raadde me aan erover na te denken. Mora en ik bleven nog een tijdje in Washington en werden uitgenodigd voor een rondleiding door het Witte Huis. President Clinton hebben we niet ontmoet, maar we kregen wel een indruk van de manier waarop het er op deze bijzondere plek aan toe gaat. Later die week werd ik door een congreslid uitgenodigd voor een bijeenkomst over retourvluchten naar Afrika. Daar maakte ik kennis met Hillary Clinton, een sterke vrouw, die ik zeer bewonder. Ze had net een moeilijke periode achter de rug. Ik besloot ja te zeggen tegen de reis naar Soedan. Helaas zou ik met USCRI geen bezoek kunnen brengen aan de gebieden waar mijn familie woonde. Bovendien zouden we via Kenia moeten reizen omdat ik het land niet in mocht en toestemming moest krijgen van de SPLA, die de grens controleerde.

In het vliegtuig terug naar New York dacht ik aan Soedan en besefte hoe ver van huis ik was. Omdat New York geen echte Soedanese gemeenschap kent, trof ik bijna nooit landgenoten. Mijn familie in Londen daarentegen had een grote groep Soedanese vrienden. De laatste keer dat ik bij mijn moeder was, had ze een aantal vrouwen uitgenodigd om mijn bezoek te vieren. Er werd gezongen en gekletst. Hoewel ze op de hoogte waren van mijn succesvolle carrière, bejegenden ze me niet anders dan gewoonlijk. Natuurlijk waren ze trots op me, maar ze deden er niet nerveus over. De oudere vrouwen onder hen leidden nog altijd een uiterst traditioneel leven. Deze Soedanese gemeenschap was een grote steun voor mijn moeder. Ze had vrienden die op dezelfde manier als zij waren grootgebracht en begrepen wat ze had doorgemaakt. Niet dat ze spraken over hun moeilijkheden tijdens de oorlog, zoals hun vlucht door de bush, of het feit dat ze hun echtgenoot bij gebrek aan medische hulp voor hun ogen hadden zien sterven. Integendeel. Ze wisselden tips uit over hoe je okra kon drogen in tinnen pannen op een fornuis in plaats van in de hete zon. Ze kwamen bij elkaar en kookten stoofpotten en kissra. Hun onderlinge band was belangrijk voor hen.

Het deed me goed om mensen met wie ik vroeger omging terug te zien. Ik had het gevoel dat ik nog altijd deel uitmaakte van die gemeenschap. Voor mij was het belangrijk dat ik me verbonden voelde met mijn mede-Dinka, ook al hadden mijn leeftijdgenoten en ik zich inmiddels aangepast aan de nieuwe wereld. Zo had een nichtje van mij, die van een dorp in Soedan naar Londen was verhuisd, op de universiteit een Ierse jongen ontmoet. Ze waren getrouwd en hadden een prachtige Ierse Dinkababy. Aanvankelijk werd er door de oudere Dinkavrouwen van mijn moeders generatie veel over haar geroddeld omdat ze niet met iemand uit haar eigen cultuur was getrouwd. Uiteindelijk werd ze echter geaccepteerd en werd de baby als een echte Dinka opgenomen in de gemeenschap.

Op een avond ging ik naar een optreden van twee Soedanese musici in een Londense platenstudio. Het meisje zong, terwijl de jongen haar begeleidde op drums. Het was fantastisch. Ze was een meter vijfentachtig lang en beeldschoon, en droeg rode schoenen en een Diana von Furstenberg-overslagjurk. Ik voelde me een onderdeurtje naast haar. Ze had zojuist een gesprek gehad met iemand van de platenmaatschappij en had een fles champagne gekocht om de deal te vieren. Ik besefte hoe ver we verwijderd waren van het land waar we waren opgegroeid. Toen kwam er een man uit Zimbabwe binnen. Hij had zojuist een cd opgenomen. Hij was kindsoldaat in Afrika geweest en liet ons zijn litteken van een schotwond zien. Het was bizar. We woonden in de moderne wereld maar droegen allemaal onze sporen van het geweld in de oude wereld – Afrika.

De volgende ochtend vloog ik in alle vroegte terug naar New York. Vanaf het vliegveld haastte ik me naar huis, zodat ik kon uitrusten voor een shoot die voor de volgende ochtend gepland stond. Eenmaal thuis kreeg ik een telefoontje van Mora. Ze had besloten mee te gaan naar Soedan en vertelde me dat USCRI en World Vision International de handen in elkaar hadden geslagen om ons te kunnen laten gaan. Ik belde mijn moeder en vertelde haar het goede nieuws.

'Alek, ik wil niet dat je gaat,' zei ze.

'Maar moeder,' smeekte ik. 'Ik kan niet anders.'

'Het is te gevaarlijk. Straks worden jullie vermoord.'

'We lopen geen gevaar. Het is belangrijk.'

Uiteindelijk stemde ze toe.

'Probeer mijn zus op te zoeken,' zei mijn moeder.

Ik kreeg het niet over mijn hart haar te vertellen dat USCRI had gezegd dat een bezoek aan onze familie niet op de agenda zou staan.

Toen mijn eenentwintigste verjaardag naderbij kwam, vond een enthousiast groepje vrienden om me heen dat ik een feest moest geven. In Soedan had ik mijn verjaardag nooit gevierd. Ten eerste omdat ik mijn geboortedag niet precies wist en ten tweede omdat we bij ons thuis nooit verjaardagen vierden. In Engeland hadden we ons aangepast aan het gebruik taart te serveren, maar verder deden we niets speciaals. In New York was ik naar een paar grote verjaardagsfeesten van vrienden geweest en ik had me er altijd over verbaasd hoeveel champagne er werd geschonken en hoe groots zoiets werd aangepakt. Maar na lang aandringen – ondere andere van Mora – besloot ik een benefietfeest voor USCRI te geven.

Impresario Amy Sacco stelde voor dat ik mijn feest in haar nieuwe bar, Lot 61, zou geven en Mora wist een deejay plus installatie van Hot 97 te strikken. Mijn gasten vormden een gemengd gezelschap. Behalve familie waren er vriendinnen uit de modellenwereld, zoals Carolyn Murphy en Bridget Hall, medewerkers van USCRI en andere liefdadigheidsinstellingen, en mensen uit de wereld van de mode en de media. Als klap op de vuurpijl kwam mijn zus speciaal voor mij uit Canada gevlogen en reed een ruim twee meter lange neef van mij – zijn lengte verbaasde iedereen – van Washington DC naar New York om erbij te kunnen zijn. We projecteerden foto's van Soedan op de wanden en dansten tot diep in de nacht. Iedereen doneerde een bedrag van twintig dollar als entree. We haalden zesduizend dollar op.

Niet lang daarna kregen we van USCRI te horen dat Mora en ik ons moesten laten vaccineren voor onze reis.

'Maar ik kom zelf uit Soedan,' zei ik. 'Ik heb geen vaccinaties nodig. Ik ben vroeger al aan dat soort ziektes blootgesteld.' Ze raadden me aan het met een arts te bespreken.

Mora en ik bezochten een tropenkliniek in New York, waar een arts ons de stuipen op het lijf joeg. Ik moest opnieuw worden in-geënt omdat na al die jaren mijn natuurlijke immuniteit waar-schijnlijk was verdwenen. Mora moest sowieso worden ingeënt. We kregen informatie over de akeligste ziekten, zoals mycetoma, een chronische ontstekingsziekte die de huid aantast; schistoso-miase, een infectieziekte die een caramelkleurige uitslag veroor-zaakt op de buik, die opzwelt; tuberculose, een van de ernstigste gezondheidsproblemen in Soedan; leishmaniase, een parasitaire ziekte die wordt overgebracht door zandvliegen; lepra; malaria – waar ik natuurlijk alles van afwist. Mora zette echter steeds grote-re ogen op.

'Ik wil alle vaccinaties die u denkt dat ik nodig heb,' zei ze.

Toen de arts mij aankeek, zei ik: 'Voor mij geldt hetzelfde.'

Onze armen waren dik van de vaccinaties. Daarna moesten we onze broek uittrekken en werd met enorme naalden gammaglo-buline, dat bescherming biedt tegen hepatitis, in onze dijspieren gespoten. We moesten nog twee keer terug naar de kliniek. Idioot eigenlijk. Mijn hele leven had ik nauwelijks spuiten gehad en nu werd ik lek geprikt.

Eindelijk waren we zover dat we konden vertrekken.

'Wat moet ik allemaal meenemen?' vroeg Mora.

'Ga er maar vanuit dat het er bloedheet is,' zei ik alleen maar. 'En dat het geen snoepreisje wordt.'

De dag brak aan dat Mora, Roger Winter en ik ons na ons werk naar het vliegveld begaven om naar Afrika te vertrekken. Ik was inmiddels gewend aan businessclassvluchten, en zelfs aan inter-nationale eersteklasvluchten. Ik vind het heerlijk om in de watten te worden gelegd en het verbaasde me hoe snel ik eraan gewend was geraakt. Omdat we echter geen USCRI-geld wilden verspillen, reisden we economyclass. Onze eerste bestemming was Nairobi, waar we na diverse tussenstops arriveerden. Na een kort verblijf in Nairobi vlogen we met een klein propellervliegtuig naar Lokchikia, nabij de Soedanese grens. Van daaruit reden we in landrovers naar een nog kleiner vliegveld, waar we een vlucht over de grens namen. Om het afweergeschut van het Soedanese leger te ontwijken, vlogen we op grote hoogte, maar binnen niet al te lange tijd landden we in Marial op een onverharde landingsbaan.

Net voordat we de grond raakten, kwam een groep kinderen naar ons vliegtuig geheld. Ik hield mijn hart vast, bang dat ze onder het landingsgestel zouden komen. Toen we uit het vliegtuig stapten, begonnen de kinderen naar ons te roepen.

'*Awai, awai, awai!*'

'Wat zeggen ze?' vroeg Mora aan mij.

'Zout. Ze roepen: "Zout, zout, zout!" Zout is hier evenveel waard als goud.'

De kinderen wezen naar Mora en riepen lachend 'kawaje'.

'Dat betekent "blanke",' vertaalde ik voor haar.

Toen ze mij zagen – ik droeg Timberlandlaarzen, een spijkerbroek, een helderblauw vest en een Louis Vuittonhoofddoek – viel hun mond open van verbazing.

'Niet te geloven dat ze een Dinka is,' zei een meisje.

'Klopt, ik ben een Dinka,' zei ik. 'Maar zij niet,' vervolgde ik, wijzend op Mora. 'Zij is Amerikaanse.'

We glimlachten, omdat we niet wilden laten merken dat we medelijden met hen hadden. De kinderen waren uit hun doen door de oorlog en zagen er angstig en wanhopig uit.

'We moeten opschieten, Alek,' zei de leider van ons gezelschap. 'De plannen zijn gewijzigd. We reizen door naar El Tonj omdat de andere route op het moment te gevaarlijk is.'

'El Tonj? Maar daar komt mijn moeders familie vandaan!'

Ik raakte helemaal opgewonden. Misschien kon ik toch mijn tante ontmoeten.

'Probeer ze radiotelegrafisch te laten weten dat we eraan komen,' zei ik.

Dat we via El Tonj zouden reizen was zeer bijzonder, omdat we door gebieden moesten die in handen waren van de SPLA. Per slot van rekening worden rebellen veelal gezien als wrede misdadigers die God noch gebod kennen. Het tegendeel bleek het geval – deze mannen, die gekleed gingen in eenvoudige uniformen, waren beleefder tegen mij dan menig immigratiebeambte op de internationale vlieghavens. Ze vulden zelfs onze reispapieren voor ons in, zodat we tijdens onze reis niet door rebellen zouden worden opgepakt. Ze begrepen dat we kwamen om machteloze burgers te helpen en dat we ons niet zouden inlaten met politiek.

Op onze eerste dag in de binnenlanden kwamen we al meteen vast te zitten in de modder en moesten we de landrovers er weer uit zien te duwen.

'Kunnen we geen takelwagen bellen?' vroeg Mora.

Ik wist dat ze een grapje maakte, maar feit bleef dat we in de middle of nowhere stonden en nergens hulp konden krijgen.

Omdat Mora altijd veel had gelift en gekampeerd, was ze wel wat gewend. Ze had me zelfs een keer uitgenodigd mee te gaan bungeejumpen vanaf Brooklyn Bridge.

'Vergeet het maar,' had ik gezegd. 'Ik ben niet uit Soedan gevlucht om mijn leven te riskeren met een stel gekken in New York!'

'Lafaard!' had ze met plagend verweten.

In Soedan kwam Mora er echter al snel achter dat ze minder stoer was dan ze dacht. Afrika was veel heftiger dan ze had verwacht en ze kwam zichzelf regelmatig tegen. Op onze eerste nacht sliepen we in een betonnen hut met een zandvloer, die doorgaans door hulpverleners werd gebruikt. Onder de hutten was een gat gegraven om in te schuilen voor het geval het kamp door vliegtuigen werd gebombardeerd. Toen Mora wilde gaan slapen, viel er een hagedis op haar slaapzak. Ze schreeuwde moord en brand. Ook was ze doodsbenauwd voor insecten.

'O god!' riep ze telkens wanneer ze iets vreemds zag.

Ik lachte alleen maar. Welkom in mijn wereld.

De dag erop reden we door een eindeloos verdord gebied. De bruine aarde was gebarsten. Telkens wanneer de landrover door een kuil of over een een kei reed, stootten we onze hoofden tegen de raampjes. Na verloop van tijd kwamen we bij een bos, waar we vaart minderden omdat de weg kronkelig en nat was. Uiteindelijk bereikten we El Tonj. Er leefden duizenden vluchtelingen in stenen gebouwen, armoedige tenten en onder tafels op de markt, waar niet veel meer te koop was dan zeep en sigaretten. Niet ver van ons vandaan stond een lange, magere man in een turkooisblauwe overall op een takje te kauwen. Op een bankje zaten een paar vrouwen in lange gewaden en met hoofddoeken om.

'Is dit alles?' vroeg Mora terwijl ze de hutten, de stenen gebouwen en de grote kudde vee in zich opnam.

'Als kind heb ik een halfjaar in zo'n soort dorp gewoond,' zei ik.

El Tonj, dat gewoonlijk rond de honderd inwoners telde, was anders dan het dorp waarin ik met mijn familie had gewoond.

We reden nog zo'n anderhalf uur verder totdat we in een klein dorp arriveerden waar ik familie hoopte te ontmoeten. De lucht was dik van de rook van kookvuren. De geur deed me terugdenken aan mijn jeugd en maakte zoveel emoties in me los dat ik het liefst in een hoekje wilde wegkruipen. Even miste ik mijn moeder.

We waren nog maar een halfuur in het dorp toen ik over een pad een oude vrouw zag komen aanlopen. Ze leek over haar toeren. Toen ze dichterbij kwam, zag ik dat het Alwet was, de jongere zus van mijn moeder. Ze zag er veel ouder uit dan ik me herinnerde. In mijn jeugd kwam ze soms weken achtereen bij ons thuis op bezoek en dan zorgde ze voor me. Ze was nog altijd een rijzige vrouw, maar hier en daar wat grijzer. 'Tante Alwet!' riep ik haar in het Dinka toe.

Het was een geweldig weerzien. We omhelsden elkaar in tranen.

Ze had gedacht dat ze ons nooit meer zou zien. Ik werd overmand door emoties. Kennelijk zat het nog heel diep. Dit was de tante van wie we allemaal zoveel hielden en die het zo moeilijk had gehad in haar leven. Niet alleen door de oorlog, waaronder ze, gezien haar magere en verweerde uiterlijk, veel moest hebben geleden, maar ook daarvoor.

Tante Alwet trouwde met een man die haar slecht behandelde. Na twee jaar hadden ze nog geen kinderen. Uiteraard was dat volgens haar echtgenoot háár schuld: op het platteland zal een Dinkaman nooit denken dat het probleem van de onvruchtbaarheid bij hem ligt. Uit frustratie begon hij haar te slaan en te eisen dat ze hem een kind schonk. Toen dat niet lukte, besloot hij haar terug te brengen naar haar vader, van wie hij de koeien terugeiste die hij als bruidsschat had betaald. Dit was een grote vernedering voor haar en onze familie. Alwet accepteerde de afwijzing door haar man, verliet hem en ging op zichzelf wonen. Ze verbouwde haar eigen groenten. In haar dorp was ze een verstotene, maar ondanks alles behield ze haar waardigheid. Jaren later hielp ik haar naar Kenia te reizen om aan de onderdrukking in het dorp te ontsnappen. Ze adopteerde twee weeskinderen en emigreerde naar Australië, waar ze zich langzaam leerde aanpassen aan de moderne wereld.

Die dag in El Tonj vertelde ze me dat ze via de 'bushtamtam' had vernomen dat een dochter van haar zus het dorp zou bezoeken. Daarop had ze meteen een paar – mij onbekende – verwanten verzameld met wie ze uren te voet onderweg was geweest. Ze wist niet wie ze in El Tonj zou aantreffen: mij, of een van mijn vier zussen. Mijn tante zag er zo mager, moe en versleten uit dat ik weer begon te huilen. Ze sloeg haar armen om me heen en zei: 'Niet huilen, Alek. Waarom huil je? Het leven is goed.'

We stonden in een kring en wisselden nieuws uit. Mora luisterde vanaf een afstandje toe, maar begreep er geen woord van.

Ik vertelde Mora dat mijn verwanten een geit wilden offeren om ons te zegenen en ons te herenigen met de geesten van onze voorouders.

'Je maakt zeker een grapje,' zei ze.

Ik legde haar uit dat dierenoffers centraal staan in de Dinka-cultuur. Een dier wordt zelden geslacht voor zijn vlees, maar bij belangrijke gebeurtenissen worden ze gedood om de geesten te-vreden te stellen. Mora kon de gedachte niet verdragen dat ze moest toekijken hoe een geit zou worden gedood.

'Kijk toch naar dat beest,' zei ze, wijzend op de stoffige, langha-rige geit. 'We kunnen hem toch niet voor ons laten afslachten?'

'Mora,' zei ik. 'Dat is onze cultuur.'

'Ik kan er niet naar kijken.'

'Zal ik vragen of ze een kip willen offeren in plaats van de geit?' Ze beet op haar lip en knikte. Mijn familie stemde ermee in.

Een klein kwartier na onze aankomst kwam er een in vodden gehulde vrouw uit de bush gelopen. Ze had een baby in haar arm en een kind aan haar hand. Het kind had stakerige benen, een on-natuurlijk vooruitstekend voorhoofd, uitpuilende ogen en een opgezette buik, waar de aderen dik bovenop lagen. De baby in haar armen was bijna bewusteloos, want haar ogen draaiden tel-kens weg. Ze was op sterven na dood.

'Help me,' jammerde de moeder met een doodsbange blik in haar ogen.

De baby zat vol vliegen.

'Mijn baby,' zei ze.

Het futloze kind in haar armen was zwaar ondervoed. Haar kle-ren waren vuil. Om haar ogen zaten dikke gele korsten. Ik had nog nooit zoiets afgrijselijks gezien.

'We hebben al weken niet gegeten,' zei de moeder. Het volgende moment zakte ze in elkaar.

'Deze baby moet meteen naar een voedingscentrum,' zei ik.

Op het platteland van Zuid-Soedan runden hulpverleners centra waar mensen werden gered van de hongerdood. Om te worden geholpen moest je wel zelf bij zo'n centrum zien te komen. Ik wilde bij mijn familie blijven maar kon dit kind niet laten sterven.

Mijn familie dacht daar echter anders over. Ze hadden al zoveel van dit soort kinderen gezien. Het behoorde tot de realiteit van het leven.

'Dit maken we hier dagelijks mee,' zei mijn tante. 'Het is heel akelig, maar je doet er niets aan. We moeten doorgaan met het offer, anders worden de geesten boos.'

Toen ik Mora vertelde wat mijn tante had gezegd, keek ze me vol afgrijzen aan.

'Het kan niet anders,' vervolgde mijn tante. 'We moeten de geesten tevredenstellen.'

'Oké,' zei ik. Ik zei tegen de stervende vrouw uit de bush dat ze met haar kinderen onder een boom moest gaan zitten. We gaven haar een beker water. Intussen pakte een van de mannen die met mijn tante was meegekomen een kip beet en begon door middel van bezweringen onze voorouders aan te roepen. Vervolgens sneed hij met een mes de keel van het dier door – het bloed spoot eruit. Het was verschrikkelijk. Even verderop was een vrouw de dood nabij, terwijl wij een ritueel uitvoerden dat mij niets zei omdat ik niet was opgegroeid op het platteland. Ik zal het moment nooit vergeten. 'God, laat haar alstublieft niet doodgaan,' mompelde ik in mezelf terwijl ik naar het kind bleef kijken.

Mijn familie wilde ook niet dat ze stierf. Snel werkten ze het ritueel af. Een van de mannen hield de kip aan zijn poten vast en sneed de kop er met een speer af. Vervolgens werd het dier op de grond neergezet, en terwijl het zonder kop rondrende, zongen de ouderen gebeden teneinde mij te herenigen met de geestenwereld en Mora te beschermen op onze reis. Vervolgens dompelde een van de mannen de kip in een schaal water en besprenkelde de plek met water en bloed door hem aan zijn poten in het rond te zwaaien.

Een paar minuten later vertrok ik in allerijl met de baby naar een voedingscentrum. De naam doet vermoeden alsof het een plek is waar je vee zou bijvoederen. Helaas was het nog erger dan dat.

Het centrum werd gerund door Artsen zonder Grenzen. Ze kwamen de moeder en haar kinderen meteen in behandeling. De kinderen kregen ieder ter hoogte van hun biceps een bandje in de kleuren groen, geel, oranje en rood om hun arm. De kleur die overbleef wanneer de arts het bandje aantrok, gaf aan hoe ernstig ondervoed het kind was. Deze twee kinderen waren rood, wat betekende dat ze spoedig zouden sterven als ze niet werden geholpen.

We lieten de moeder en haar kinderen bij het centrum achter. We brachten mijn tante en andere verwanten op mijn verzoek in de landrovers terug naar hun dorp. De rit voerde ons een uur door een desolaat landschap. Je kunt je voorstellen hoeveel moeite ze hadden moeten doen om mij te zien. Toen we bij hun dorp aankwamen was het bijna donker. Niettemin wilden de USCRI-medewerkers om veiligheidsredenen terug naar El Tonj. Mijn tante en ik namen emotioneel afscheid van elkaar. Ik vond het fantastisch dat ik haar had gezien.

We keerden terug naar onze hutten in El Tonj en probeerden wat te slapen. Maar ik deed geen oog dicht. Ik moest steeds aan de stervende kinderen denken en vroeg me af hoe het met hen zou zijn. Waarschijnlijk hadden ze Nutriset gekregen, een melkvoeding waarmee ze langzaam zouden aansterken. Toch maakte ik me zorgen. De volgende ochtend reden we terug naar het voedingscentrum om te zien hoe het met de kinderen was. Ze waren nog steeds futloos, maar het ging wel iets beter met hen. De baby had haar ogen open en keek om zich heen. Ik kreeg koude rillingen van blijdschap. De toestand van de moeder was nog hetzelfde als de dag ervoor. Volgens de artsen had ze zo lang niets gegeten dat ze slechts kleine hoeveelheden voedsel kon binnenhouden. De moeder vertelde ons dat ze weken met haar kinderen op haar arm door de bush had gelopen zonder iets te eten; dat haar vriendinnen waren verkracht; dat haar drie andere kinderen op weg naar het voedingscentrum waren omgekomen; dat de milities alles wat ze bezat hadden gestolen of vernield en haar man met een zwaardsteek hadden vermoord.

Maar deze vrouw leefde nog dankzij de inzet van onbaatzuchtige vrijwilligers die hun leven riskeerden om mensen zoals zij en haar kinderen te helpen. De oorlog leek zo zinloos. De artsen werkten verspreid over het platteland en waren actief tot in de kleinste dorpen. Sommigen van hen woonden in schuilkelders om zich te beschermen tegen de bommen van het regime.

Arsten zonder Grenzen was niet de enige hulverleningsorganisatie in El Tonj. Het Rode Kruis runde er een centrum dat tweemaal daags een maaltijd van maïspap en bonen verstrekte aan honderden gehandicapte volwassenen. Een andere organisatie voedde 'gezonde' mensen die anders de hongerdood zouden sterven. Voor een kom eten stond men geduldig in de rij. Het merendeel van deze mensen was naakt, sommigen droegen alleen een blouse. Op de grond lag een tiener die door een arts werd gevoed met Nutriset. Het kind was vel over been. Hij had twee weken gelopen om een voedingscentrum voor kinderen te bereiken, maar was weggestuurd omdat hij te oud was. Daarna had hij nog drie dagen gelopen om El Tonj te bereiken. Zijn ouders, broers en zussen waren allemaal dood. Hij sterkte zienderogen aan van de Nutriset, maar verder kon de arts weinig voor hem doen. Zodra hij weer kon lopen, kreeg hij het advies zich bij de andere vluchtelingen te voegen, die zich in de nabijgelegen gebouwen verdrongen. Meer dan een maaltijd in de ochtend konden ze hem niet bieden. Zelfs geen deken.

Ik was blij dat ik Soedan weer kon verlaten. Het werd me allemaal te veel. Ik voelde me schuldig omdat ik als kind mijn vaderland was ontvlucht en een carrière had opgebouwd terwijl miljoenen van mijn landgenoten leden. Ik kon maar niet begrijpen wat het regime met een oorlog tegen zijn eigen mensen dacht te bereiken. Niettemin snapte ik waarom de rebellen hun strijd niet opgaven. Waarom zou het zuiden zich laten overheersen door het noorden?

Toen ik weer terug was in New York, kreeg mijn reis veel publiciteit. Mensen vertelden me dat ze voordien nooit iets over de situatie in Afrika hadden gehoord. Het deed me goed dat ik op deze manier mijn steentje kon bijdragen. Ik had een stem en maakte daar gebruik van. Het maakte mijn werk als model zinvol.

In de daaropvolgende jaren bleef ik actief voor USCRI. Daarnaast zette ik me, onder meer, in voor de Vluchtelingenorganisatie van de Verenigde Naties, de UNHCR. Ik verscheen samen met Madeleine Albright, minister van Buitenlandse zaken onder Bill Clinton, in reclamespots voor de eerste 'respect'-campagne, waarin via Aretha Franklins hit 'Respect' het vluchtelingenprobleem onder de aandacht werd gebracht. Ik ontmoette first lady Laura Bush voor de Red Dresscampagne, waarin beelden van een rode jurk werden gebruikt om een veelvoorkomende hartkwaal bij vrouwen onder de aandacht te brengen. In die campagne werden tips gegeven om de kwaal te voorkomen. Ik heb op talloze scholen gesproken over de vluchtelingenproblematiek en de noodzaak een goede opleiding te volgen.

Maar niets heeft me ooit zo geraakt als die moeder en haar kinderen, die letterlijk schreeuwden om de aandacht van de wereld.

11

Op mijn twaalfde sprak mijn vader me vanaf zijn sterfbed in Khartoem toe.

'Alek, je moet naar Londen gaan. Daar kun je in vrede wonen. Volg een opleiding. Maak wat van je leven,' zei hij.

Zijn woorden gaven me kracht. En nu ben ik een succesvol model. Ik bezit een eigen huis. Ik heb mijn eigen tassenbedrijf.

In 1998 verliet Mora IMG en werd Maja Edmondson mijn nieuwe agent. Ik heb geluk gehad met mijn agenten: Maja bleek al net zo'n grote stimulans voor mijn carrière als Mora. Ik vloog de wereld rond voor mijn werk en alles verliep naar wens. Het enige waar ik niet aan toe kwam was schilderen. Nadat ik naar New York was verhuisd, heb ik het nog een tijdje volgehouden, maar door het vele reizen kwam het er steeds minder van. Ik miste het vreselijk, omdat schilderen goed voor me is. Ik word er rustig van en het geeft me een huiselijk gevoel, waar ik intens van kan genieten. Soms biedt het leven echter kansen waar je op het moment zelf niet bij stilstaat, maar die achteraf gunstig blijken te zijn geweest. Zo bleek het vele reizen goed uit te pakken voor mijn kunst. Ik reisde altijd met een plunjezak omdat er veel in kon, maar het nadeel van plunjezakken is dat ze geen aparte vakken hebben. Ik merkte dat ik tijdens mijn vluchten over tassen ging nadenken. Ik wilde weten wat de perfecte tas voor mij was en begon ontwerpschetsen te maken.

Vroeger in Soedan was mijn vader elke dag met een eenvoudige aktetas met koperen sluiting naar kantoor gegaan. De tas was praktisch en toch mooi, en het was een van de weinige dingen die ik nog van hem had. Toen ik op papier tassen begon te ontwerpen om de tijd te doden tijdens mijn internationale vluchten, liet ik me door mijn vaders aktetas inspireren. Het ontwerpen van tassen bleek perfect bij mij te passen. Al schetsend kon ik spelen met kleur, textuur en vorm zonder dat ik kwasten en doeken mee hoefde te slepen.

Toen ik een keer een week vakantie had, besloot ik zelf op mijn oude naaimachine een tas te maken van een lap donkergroene stof. Ik gebruikte een zwarte ceintuur als schouderband, die ik met de gesp kon verstellen. Het werd een zeer eenvoudige versie van een schoudertas.

Toen ik hem aan een paar vrienden liet zien, reageerden ze enthousiast. Het kwam echter geen moment in me op om de tas te verkopen of er meer te maken. Totdat ik op een avond dineerde met een vriend die schoenen ontwierp voor Donna Karan. Hij vroeg me of ik niet meer tassen zou willen ontwerpen.

'Jawel, ik ben altijd tassen aan het schetsen,' zei ik.

Ik liet hem mijn ontwerpschetsen zien. Hij raadde me aan meer prototypen te maken en introduceerde me vervolgens bij een fabriek die ze in productie kon nemen.

'Maar kijk uit,' waarschuwde hij me. 'Je moet precies weten wat je wilt en wat de afmetingen van je tassen moeten zijn, want anders ben je een hoop geld kwijt aan probeersels.'

Ik was vierentwintig en rolde bijna per toeval in het zakenleven.

Pas toen het zover was besefte ik dat ik daar mijn energie in wilde steken. Natuurlijk vraag je je als model regelmatig af hoe het verder moet wanneer je te oud bent voor het vak. Vanuit dat perspectief was een eigen tassenlijn een uitstekend idee. Ik besloot het project zelf te financieren en noemde de lijn WEK1933, naar mijn dierbare vader en zijn geboortejaar.

Ik sloot een contract met een fabriek die achttien ontwerpen in productie zou nemen. Ik tekende de patronen voor de binnenvoering en koos de leerkleuren – chocoladebruin, donkerrood, donkerblauw, karamel, natureltinten – uit mijn schetsen. Voor het ijzerwerk – de sluitingen, schakels en dergelijke – liet ik me inspireren door de sieraden die een van mijn grootmoeders altijd droeg. In catalogi en op internet zocht ik naar originele ideeën.

Waarschijnlijk heb ik veel te veel betaald voor de monsters, maar van elke fase in het opzetten van mijn eigen tassenlijn heb ik veel geleerd. Ik was mijn eigen vertegenwoordiger. Ik kocht een grote koffer voor mijn prototypen en liep winkels, kantoren en showrooms af om orders in de wacht te slepen. Tot mijn grote verbazing kocht Barney's tassen voor hun filialen in New York, de westkust en Japan. Galeries Lafayette in Parijs kocht er een paar, evenals Colette, een andere bekende Parijse boetiek. Het was fantastisch. In diverse bladen, waaronder de Amerikaanse *Vogue*, verschenen foto's van mijn tassen.

Tijdens mijn vliegreizen maakte ik aantekeningen over kleuren en texturen en welke gevoelens ze bij me opriepen. Eenmaal thuis prikte ik een vel papier op de muur en begon ideeën te verzamelen, zoals schetsen en foto's die ik uit tijdschriften had gescheurd. Na verloop van tijd leerde ik zelf de precieze afmetingen van mijn tassen te bepalen, zodat ik die fase niet meer aan de fabriek hoefde over te laten.

Ik heb altijd alles vanuit mijn huis in Brooklyn gedaan. Ik heb een paar jonge ambitieuze vrouwen in dienst met wie het fantastisch samenwerken is. Samen houden we het kleine maar solide bedrijf draaiende. Alles wordt met aandacht ontworpen en gemaakt. Ik hoef er niet veel aan te verdienen: ik wil dat mijn tassen kwalitatief goed zijn en dat het bedrijf lang mee kan. En ik moet zeggen dat het een kick geeft om iemand met een WEK1933-tas over straat te zien lopen.

Tegen de tijd dat ik achtentwintig was begon het bedrijf langzaam maar zeker te groeien. Ik had mijn huis flink opgeknapt en woonde er met plezier. Ik had een lieve vriend, die in Italië woonde maar regelmatig op bezoek kwam. Kortom, ik had een goed leven. Mij restte echter nog één droom: het graf van mijn vader bezoeken. Ik wilde de laatste eer bewijzen aan de man die ik nog altijd in mijn hart draag en die een voorbeeld is bij alles wat ik doe.

In 2004 werd in Soedan een staakt-het-vuren bereikt. Diverse partijen, waaronder de Amerikaanse minister van Buitenlandse Zaken, Colin Powell, waren in Kenia bijeengekomen om een akkoord te sluiten tussen de regering en de SPLA. De Amerikaanse bemoeienis was groot – Soedan was een uitvalsbasis van Osama bin Laden en het regime had Saddam Hoessein gesteund tijdens de eerste Golfoorlog.

Op 9 januari 2005 werd in Nairobi een Algemeen Vredesakkoord getekend. Het akkoord moest garanderen dat het zuiden van Soedan zes jaar lang zelfstandig zou blijven. Daarna zou gestemd worden over de vraag of het zuiden zich zou mogen afscheiden van Soedan en een eigen staat zou mogen vormen. Zou er tegen autonomie worden gestemd, dan zou uit beide legers – van de SPLA en het regime – een neutraal beroepsleger worden opgericht. Bepaald werd tevens dat de inkomsten uit de uitgestrekte olievelden in het zuiden gelijkelijk zouden worden verdeeld over de beide regio's. De noorderlingen zouden zeventig procent van de overheidsbanen krijgen, de zuiderlingen de resterende dertig procent. Overeengekomen werd dat in het noorden de sharia zou gelden, maar dat de Soedanese Algemene Vergadering, waarin het zuiden vertegenwoordigd was, zou stemmen over de vraag of de sharia ook aan het zuiden zou worden opgelegd. Het verdrag liet te wensen over, maar gezien alles wat er aan de ondertekening was voorafgegaan, was alleen al de gedachte aan vrede – ook al was het maar voor een paar jaar – een grote opluchting.

Althans voor mij.

Terwijl in Wau en op het platteland de vrede terugkeerde, voerde het regime de strijd in Darfur, een westelijke regio van Soedan, op. De provincie Darfur bestaat uit drie deelstaten ter grootte van tweederde van het oppervlak van Frankrijk. Geschat wordt dat in de afgelopen jaren ruim een miljoen van de zeven miljoen Darfurianen is gevlucht.

In Darfur wonen voornamelijk moslims, ofschoon er ook gemeenschappen van christenen, Dinka en andere animisten leven. De meeste moslims zijn donkere Afrikanen en geen Arabieren.

In Darfur proberen de Arabieren, geïnspireerd door de Libische president Kadhafi die een Arabische overheersing in Afrika nastreefde, de niet-Arabieren – zowel moslims als niet-moslims – te domineren. Toen er in de jaren tachtig in dit onherbergzame, ontoegankelijke gebied een grote hongersnood ontstond, namen de gevechten weer toe. In de daaropvolgende vijftien jaar boekten de rebellen dermate veel vooruitgang dat de regering de hulp inriep van zogeheten Arabische Janjaweedkrijgers. Deze Janjaweedmilities zijn samengesteld uit leden van gemeenschappen van Arabische kameelherders.

In 2003 verzamelden de rebellen zich in een konvooi van drieëndertig Toyotaterreinwagens en vielen een militaire basis van het regime in al-Fashir aan. Ze vernietigden enkele vliegtuigen en gevechtshelikopters die aan de grond stonden en namen de dienstdoende generaal gevangen. De SPLA verloor negen man, het regime zevenenvijftig soldaten en technici. Zo'n groot verlies had de regering in de twintig jaar durende oorlog met het zuiden nooit eerder in één operatie geleden.

Vernederd door deze en andere verliezen, zoals een aanval waarbij vijfhonderd legersoldaten het leven lieten, begon de regering de Janjaweed te steunen met geavanceerde wapens. Tegen de lente van het jaar daarop had de Janjaweed duizenden niet-Arabische Darfurianen vermoord en honderdduizenden uit hun dorpen verdreven.

De operaties werden als volgt uitgevoerd: het regime wees een dorp aan dat moest worden aangevallen en stuurde vrachtvliegtuigen die met explosieven gevulde olievaten afwierpen. Deze wrede 'bommen', die geen enkel militair doel dienden, waren bedoeld om de burgers te terroriseren. Na de bommen kwamen de gevechtshelikopters, die gebouwen en vluchtende burgers onder vuur namen. Vervolgens verschenen de Janjaweed op kamelen die, zwaaiend met geweren en zwaarden, het werk afmaakten door de vrouwen en meisjes te verkrachten en de mannen te vermoorden. Terwijl de niet-Arabische dorpen werden vernietigd, werden de Arabische dorpen veelal ontzien, zelfs wanneer twee dorpen, waarvan de een Arabisch was en de ander niet, slechts een paar honderd meter van elkaar lagen.

's Nachts stroomden de door hulporganisaties opgezette opvangkampen vol met mensen die hun dorpen ontvluchtten uit angst midden in de nacht te worden vermoord door krijgers. 's Ochtends liepen ze de grote afstanden terug naar hun dorpen om hun land te bewerken en hun vee te hoeden. Honderdduizenden Darfurianen vluchtten in de loop van de oorlog naar Tsjaad en andere grenslanden. De wereld bediende zich van holle retoriek en kwam nauwelijks in actie. Volgens sommigen lagen de Verenigde Staten dwars in de vn omdat ze hun goede relaties met Khartoem niet op het spel wilden zetten teneinde te voorkomen dat Soedan olieallianties met China zou aangaan. Wie zal het zeggen? Hoe kan iemand de verschrikkingen die in Darfur plaatsvinden verklaren? Naar schatting zijn er op dit moment al vierhonderdduizend doden gevallen. Meer dan twee miljoen mensen zijn uit het gebied verdreven. Mijmerend over de vrede tussen noord en zuid, vroeg ik me af wanneer de vrede in Darfur zou terugkeren.

Bij het zien van de constante stroom beelden van Soedan in de media voelde ik de behoefte terug te keren naar mijn vaderland. Het was alsof mijn land mij riep.

In 2004 vroeg een producer van de bbc of ik met een documentaireploeg mee wilde naar Soedan. Het telefoontje kwam als een geschenk uit de hemel. Ik zei dat ik het fijn zou vinden als mijn moeder ook mee kon. Dan konden we het graf van mijn vader bezoeken en op zoek gaan naar haar zus, Anok, die ze ruim twintig jaar niet had gezien. Niemand wist of ze nog leefde.

Ik vloog van New York naar Londen om mijn moeder op te halen en kennis te maken met de filmploeg. Toen ik vanaf Heathrow naar mijn auto liep, kwam er een vredig gevoel over me. Toen ik veertien jaar daarvoor in Londen aankwam, was ik voor het eerst in mijn leven op een plek waar ik me veilig voelde. In Londen voelde ik me beschermd. Het was fijn om terug te zijn. De volgende dag bezochten mijn moeder en ik de Soedanese gemeenschap in Noord-Londen om de kennissen van mijn moeder en een paar oude vriendinnen van mij te ontmoeten. Het was een fantastische dag. De vrouwen, die afkomstig waren uit diverse Dinkagroepen en allemaal hun eigen tradities hadden, zaten in een kring. Ze roffelden op trommels, zongen en maakten trillende geluiden met hun tong terwijl wij in het rond dansten. Het was een eerbetoon aan mijn moeder en mij: ze zegenden ons om ons te beschermen op onze reis. Voor mijn moeder was het de eerste keer dat ze terugging naar Soedan. Door deze vrouwen voelde ik me trots dat ik een Dinka was.

'Soedan is mijn land. Daar hoor ik thuis. Mijn volk is daar. Door mijn gebeden heb ik altijd hoop gehouden dat het weer goed zou komen met mijn land en dat ik terug zou keren,' zei mijn moeder tegen iedereen die het horen wilde.

Ik pakte mijn laarzen en mijn medicijnen in en vloog samen met mijn moeder naar Khartoem, ruim elfduizend kilometer verderop. De stad was compleet vervallen. De vrede was nog zo pril dat welvaart voorlopig een verre droom zou blijven. De stad had ernstig geleden onder droogte, honger en oorlog. Zoals altijd reden mannen in witte gewaden op ezels of trokken houten karren gevuld met waren voort. In het vervallen portaal van een verlaten theater zat een gezin weggekropen in een hoekje. Hun ogen waren zwaar van het stof. De stad zag eruit alsof ze nog maar net uit een nachtmerrie was ontwaakt.

We troffen oom Deng in een café. Hij omhelsde ons hartelijk.

'Alek, waarom ben je zo mager?' vroeg hij verbaasd.

'Dat komt door haar werk,' zei mijn moeder.

'Ik word betaald om er goed uit te zien,' vulde ik aan.

Hij lachte en we dronken cola in de stad waar ik ooit mijn eerste Coca Cola had geproefd. Voor mijn moeder was het net alsof ze nooit weg was geweest uit Soedan. Ze verviel meteen in haar oude gewoonten. Zelf voelde ik enige afstand tot mijn geboorteland. Voor mijn gevoel was ik gevormd in Londen en New York. Maar vergeten doe je het verleden nooit.

Mijn oom, gekleed in een pak met stropdas, glimlachte voordurend, zo blij was hij ons te zien.

'Ik heb mijn zus Anok twintig jaar niet gezien,' zei mijn moeder. 'Weet jij waar ze is?'

'Als ze nog leeft, zal ze in een van dorpen rondom Wau zijn,' zei oom Deng.

Het was duidelijk dat hij lang niet op het platteland was geweest.

We vlogen in een propellervliegtuig over de Witte Nijl en landden zevenhonderd kilometer zuidwaarts op de roodkleurige landingsbaan van Wau. Het vliegveld was klein en primitief. In mijn herinnering was het veel groter en complexer, een modern wonder. Ik ben in mijn leven op tientallen vliegvelden geweest, maar nooit eerder zag ik zo'n verwaarloosd vliegveld als dat van Wau. Langs de kant van de landingsbaan lagen een gecrasht vrachtvliegtuig en beschadigde gevechtshelikopters. Toen we van boord gingen, kwam een groep mannen naar ons toegelopen. Mijn moeder omhelsde hen. Ik had geen idee wie het waren en begroette hen met een Soedanese luchtomhelzing, waarbij je elkaar nauwelijks aanraakt maar wel vriendelijke schouderklopjes geeft. Het bleken familieverwanten te zijn die ik sinds mijn vroege jeugd niet meer had gezien.

Langs de landingsbaan stonden in camouflagekleding gehulde legersoldaten met baretten op en geweren in hun hand. Onwillekeurig was ik op mijn hoede.

Toen we Wau binnenreden, reageerden mijn moeder en ik geschokt. De wegen zaten vol kuilen en veruit de meeste gebouwen waren verwoest. Het grote stadion, dat voor mij altijd een teken was dat we bijna bij het vliegveld waren, was een ruïne. Er werd niet meer gespeeld.

'Dit is Wau niet,' zei ik tegen mijn moeder.

'Niet zoals we het ons herinneren. Maar het is en blijft ons thuis,' zei ze.

We parkeerden de auto in de voortuin van een laag gebouw dat was opgetrokken uit grote, vierkanten bakstenen. Voor de ingang stonden twee politieagenten.

'Moeder, hier hebben we toch nooit gewoond?' vroeg ik terwijl we naar de agenten toe liepen.

'In dit huis ben je geboren,' zei ze.

Ik keek de tuin rond.

'O ja, nu herinner ik het me weer. Daar stonden bloemen en hier een mooie boom.'

Ze knikte. Het huis was nu een politiebureau. De agenten lieten ons de groezelige kamers zien.

'Ik herinner me dat Baba daar naar de radio luisterde,' zei ik.

Het ene moment keek mijn moeder met een zachte blik om zich heen, het andere moment glimlachte ze of verschenen er tranen in haar ogen. De agenten, die onze stemming aanvoelden, gedroegen zich rustig en beleefd.

'Lieve hemel, wat is alles veranderd,' zei mijn moeder toen we weer in de auto zaten en naar ons tweede en laatste huis in Wau reden. Het solide, verzinkte hek dat ons zo goed tegen de milities had beschermd, hing scheef in zijn scharnieren. We duwden het hek moeizaam open en gingen de voordeur binnen. Er woonde nu een ander gezin in het huis. We kenden ze niet; de woning was niet langer van ons. Ze hadden in de tuin een hut met een grasdak gebouwd. Onze fruitbomen waren verdwenen, de tuin was dood. Er stonden geen koeien meer. Mijn moeders koeien waren nog altijd in het dorp dat we al die jaren daarvoor hadden verlaten. Op een dag zou ze teruggaan om de dieren op te eisen. Ze zou ze meteen herkennen, zei ze. De koeien dienden als bruidsschat voor het geval een van mijn broers met een Dinkameisje zou trouwen. Natuurlijk hoopte mijn moeder dat we allemaal met een Dinka zouden trouwden.

De nieuwe bewoners leidden ons rond. Het was leuk om ons oude huis terug te zien, maar omdat er nu andere mensen woonden, was ik er niet meer aan gehecht. Mijn moeder had het er echter moeilijk mee, dus we bleven niet lang.

'We zijn teruggegaan naar ons huis, verwoest door de oorlog,' zei ze tegen me.

Naderhand wees ze een voor een de huizen van onze buren aan. 'Ik heb gehoord dat die vrouw dood is,' zei ze. 'Die man is dood... en deze ook.' Toen draaide ze zich om en wees naar het laatste huis in de rij. 'En deze vrouw, die lerares, heeft het overleefd en woont nu in Canada.'

We liepen naar de pomp waar ik altijd water haalde. De lijken die destijds in het gras hadden liggen rotten, waren verdwenen, maar het weiland zag er nog altijd vies uit. Wau, dat altijd een eenvoudig stadje was geweest, was sterk veranderd en maakte een vervallen indruk.

Terwijl we daar stonden, kwam een vrouw in een paarse outfit naar ons toe lopen. Ze riep mijn moeder.

'Ben jij dat, Akuol?' Aangezien er in Wau geen telefoon, telegraaf, post of internet was, verkeerde deze vrouw, die we van vroeger kenden, in het ongewisse over wie de oorlog had overleefd. Ze barstte in tranen uit. Ze had aangenomen dat we allemaal dood waren. Mijn moeder nam haar in haar armen en streelde haar haren.

Wau was nu een stad vol vluchtelingen. Sinds ons vertrek was het inwonersaantal met vijftigduizend gestegen. Veel mensen woonden in kampen. Ik zag een gezin dat in een huisje van leem met een canvas dak woonde. Een oude vrouw zat radeloos in het zand. Dat had mijn moeder kunnen zijn, besefte ik. Een jonge vrouw met een geamputeerd been hobbelde steunend op een kruk voorbij. Dat had ik kunnen zijn.

De mensen bedelden niet om aalmoezen. Ze wilden gereedschap en hun handen uit de mouwen steken. Ik was ervan overtuigd dat ze iets te doen zouden vinden, om het even wat, want ze maakten een uiterst vastberaden indruk.

Even verderop kwamen we bij een boom waar een Dinkaman kinderen vaccineerde tegen polio. Hij vertelde dat hij verantwoordelijk was voor een gebied ter grootte van Londen. De kosten en zijn salaris werden betaald door UNICEF. De kinderen waren vuil; sommigen waren naakt en hun gezicht zat onder de vliegen. De man straalde, hoewel het uitzichtloos en ondankbaar werk leek. Al pratende kwamen we erachter dat hij via mijn vaders kant familie van ons was. Ik was onnoemelijk trots op hem.

Hij heette Wilson Angeng. Hij vertelde ons dat onze familie tot in de verste hoeken van Zuid-Soedan was uitgezwermd. Mijn moeder vroeg zich af of ze haar zus ooit nog zou vinden.

We liepen een heuvel op, langs een paar jongens die in het zand aan het spelen waren met een fietswiel.

Toen we boven op de heuvel uitrustten, gingen mijn gedachten terug naar de tijd dat ik hier vaak met vriendinnen kwam. We deden spelletjes en zongen liedjes, en als we geluk hadden zagen we een vliegtuig. Dan dacht ik aan de exotische bestemmingen waar ze ongetwijfeld naar op weg waren en droomde ervan over de wereld te kunnen reizen.

De volgende ochtend reden we in een truck naar het dorp Talakong, waar mijn moeder haar zus hoopte te vinden. Zo nu en dan maakte de bestuurder een omweg omdat er op de doorgaande route nog landmijnen uit de burgeroorlog konden liggen. De wegen die we wel namen vertoonden diepe sporen en waren moeilijk begaanbaar. Uiteindelijk deden we acht uur over nog geen driehonderd kilometer.

In de verte doemde een groep lemen huisjes op met kegelvormige grasdaken die aan ijshoorntjes deden denken.

'Daar is het!' riep mijn moeder uit.

Niemand in het dorp wist dat we zouden komen. De eerste die ons zag, was een van mijn moeders stiefbroers. Hij kwam naar haar toe en omhelsde haar hartelijk. In een mum van tijd waren we omringd door verwanten die ik nog nooit had gezien. Omdat mijn moeders vader zeven vrouwen had, zat haar familie nogal ingewikkeld in elkaar. Mijn moeder probeerde me aan iedereen voor te stellen, maar zelfs zij wist niet meer precies wie iedereen was. Het deed er niet toe. Het was familie en we kregen een warm welkom.

Ik kon moeilijk met ze praten, want ze spraken erg snel. Natuurlijk probeerde ik zo goed mogelijk antwoord te geven, maar ik schaamde me voor mijn Dinka dat ik nog maar gebrekkig beheers. Ze zullen zichzelf wel hebben afgevraagd wat ik in hemelsnaam probeerde te zeggen. Mijn moeder daarentegen had nergens moeite mee. Een jongen snelde weg om mijn stiefmoeder te zoeken, die de zorg voor mijn moeder op zich had genomen nadat mijn moeders biologische moeder was overleden. Onder Dinka is het gewoonte bezoekers die lange tijd geen deel hebben uitgemaakt van de gemeenschap te laten zegenen door het oudste lid van de familie. We bleven op haar staan wachten in de tuin, omringd door scharrelende kippen en loeiende koeien. In het dorp heerste evenveel levendigheid als een stad.

Niet veel later kwam een oude vrouw langzaam op ons toe gelopen door een veld. Ik zag de opwinding op mijn moeders gezicht, en met tranen in haar ogen rende ze naar de gebogen, kale vrouw toe. De vrouw keek haar verward aan.

'Het is Akuol,' zei een man. 'Akuol, Akuol.'

'Akuol?' herhaalde de vrouw. Haar gezicht klaarde op. Ze omhelsden elkaar. Toen omhelsde ze mij. Daarna zegende ze ons door water over onze handen en voeten te gieten en onze gezichten te besprenkelen.

De volgende ochtend reden we naar de begraafplaats van mijn moeders familie, waar de mannelijke dorpsoudsten zich al hadden verzameld. Ze droegen speren en hadden een grote stier vastgebonden aan een paal.

'We zijn hier bij elkaar om de terugkomst van onze stamdochters te vieren,' zeiden ze.

Ze zongen, dansten en sprongen in de lucht terwijl ze trillende geluiden maakten met hun tong. Ik maakte me zorgen om het beest. En ja hoor, terwijl de ene man bezweringen uitsprak, pakte de ander een speer en sneed de hals van het dier door. Ik was even geschokt als de eerste keer. Het offeren van koeien is een deel van mijn cultuur waar ik niet aan kan wennen, maar dat ik wel respecteer.

'Het doet me goed dat mijn volk mij zijn liefde toont,' zei mijn moeder. 'Zonder dat zijn we niets.'

Niet ver van ons vandaan, tussen een groepje bomen, lagen de graven van mijn voorouders. De doden werden apart begraven in grote tombes van leem. Hun namen stonden gegraveerd in de zijkant. Elk graf had een gedenkteken van leem, in de vorm van menselijke gezichten of horens van vee. Ik zag het graf van mijn grootvader. Het was een eng gezicht.

'Dit zijn onze vaders,' zei mijn moeder. 'De dode geesten. Wanneer we ze aanroepen, helpen ze ons. Ik denk niet dat zonder hen iemand kan leven.'

Ik vroeg mijn voorouders of ze mijn moeder naar haar zus, Anok, wilden leiden.

Ik herinnerde me tante Anok nog goed. Toen ik vier was wilden de Dinkavrouwen gaatjes in mijn oorlellen maken. Ik weigerde want ik wilde niet dat ze me pijn deden. Mijn moeder zei: 'Kom op, Alek, niet zeuren.' Ik rende weg, maar tante Anok kwam achter me aan en kreeg me te pakken. Ze maakte ter plekke gaatjes in mijn oren.

We stapten weer in de auto en reden in een paar uur naar een dorp waar onze familie dacht dat mijn tante nu woonde. Omdat het plaatsje het in de burgeroorlog zwaar te verduren had gehad, vreesden we dat niemand het had overleefd. Toen we een paar minuten in het kale dorp stonden, kwam er een vrouw op ons af gelopen. Mijn moeder rende naar haar toe. Ze wierp zich in haar armen en barstte in tranen uit. 'Anok, Anok, Anok,' herhaalde ze.

Mijn tante was broodmager en zag er oud uit. Ze miste een paar tanden en van de tanden die ze nog had staken er een paar uit haar mond. Ze kon haar ogen niet geloven. 'Akuol. Ben jij het echt?' zei ze.

Mijn tante was dolgelukkig. Ze had niet gedacht dat ze haar zus ooit nog zou zien.

De dorpelingen verzamelden stof van het voorouderlijke land, dat ze op mijn gezicht en hals wreven om onze familie te verenigen met de geesten van onze voorouders. Ze zongen en klapten in hun handen. Ze smeerden mijn moeders gezicht in met stof, floten, zongen en maakten trillende geluiden met hun tong.

Toen mijn moeder en ik die avond naast elkaar bij het vuur zaten, keek ze me aan en zei: 'Hoe vaak hebben we niet zo gezeten, Alek. Al die avonden dat we onderweg waren naar het dorp op het platteland. Ik legde dekens op de grond en dan sliep jij daar met je broers en zussen.' Ze wees een paar plekken rondom het vuur aan. 'Je vader daar en ik hier.'

Ze staarde met een afwezige blik naar het donkere bos.

'Als er 's ochtends niets te eten was, kookte ik water en zei ik tegen je dat het thee was.'

De volgende dag reden we terug naar Wau, waar we het vliegtuig terug naar Khartoem zouden nemen. Tijdens de lange rit door de bush vertelde mijn moeder over haar leven en onze familie.

'Ja vader was zo'n rustige, sterke man,' zei ze. 'Hij wilde dat jullie je rechten kenden. Dat jullie waarden en normen hadden. We probeerden er samen het beste van te maken en te zorgen dat jullie alle negen een kans zouden krijgen in het leven.'

We brachten de nacht door in Khartoem en vertrokken de volgende ochtend in de brandende hitte naar het graf van mijn vader. Toen we bij het kerkhof aankwamen, keek mijn moeder verward om zich heen. Het zag er totaal anders uit dan vroeger.

'Wat is hier gebeurd?' vroeg ze aan de toezichthouder.

'Te veel doden,' antwoordde hij. 'Er zijn de afgelopen jaren te veel mensen overleden.'

Het kerkhof was nu een dor, uitgestrekt veld vol graven, waar geen struik, pluk gras of bloem te bekennen was. Sommige doden waren begraven in cementen kisten, die hoog boven de grond waren opgestapeld. Anderen lagen in een houten kist in het zand, met een paaltje ervoor waarop hun naam was geschilderd. Mijn vader was ondergronds begraven in een crypte van cement. Ik had het graf nooit eerder gezien, want kinderen mochten de doden niet bezoeken.

Mijn moeder liep met een bezorgde blik langs de graven, bang dat ze mijn vader niet zou vinden. We dwaalden een uur over het kerkhof. Ze werd wanhopig. Totdat ze ineens iets herkende in het oude gedeelte van de begraafplaats. Daar was mijn vaders graf – zijn naam was in het cement gegraveerd.

Ik werd overmand door verdriet. Mijn moeder barstte in tranen uit.

Ik sloeg mijn armen om haar heen en toen we overeind kwamen zei ze: 'Ik ben met je kind hierheen gekomen om je graf te bezoeken. We hebben in een ver land veiligheid moeten zoeken voor de oorlog. Het gaat goed met alle kinderen. Alek is nu hier. Ze heeft veel bereikt in haar leven. Laat je geest bij onze kinderen blijven en ze zegenen. We hebben lang naar je graf gezocht. We dachten dat we het nooit zouden vinden, maar nu zijn we hier. Ik smeek je om voor onze kinderen te zorgen...' Ik begon te snikken. '... zodat ze een goed leven kunnen leiden,' vervolgde ze.

Mijn leven was het bewijs dat hij altijd voor me was blijven zorgen.

Dankwoord

Op mijn reis vanuit Soedan en terug ben ik door veel mensen bijgestaan. Mijn speciale dank gaat uit naar mijn oudere zus Ajok, die me de kans bood te vluchten voor de burgeroorlog en naar Londen te emigreren. Zonder haar zou dat onmogelijk zijn geweest. Mora Rowe, mijn eerste agente in New York, heeft mij als model en als mens gevormd. Ze is mijn inspiratiebron geweest en heeft me altijd gesteund met haar positieve instelling. Bedankt, Mora.

Mijn huidige agente, Maja Edmonston, heeft me op een cruciaal moment in mijn leven onder haar hoede genomen. Zonder haar zou dit boek er niet geweest zijn. Haar loyaliteit zal ik nooit vergeten. Ook ben ik Chuck Bennett van IMG Models, erg dankbaar. Hij was er altijd voor me.

Door de jaren heen heb ik steun ondervonden van een groot aantal creatieve mensen, onder wie Steven Meisel, Gilles Bensimon, Herb Ritts, Nick Knight, Peter Lindbergh, Inez van Lamsweerde en Vinoodh Matadin, Arthur Elgort, Annie Leibovitz, Michael Thompson, Mark Abrahams, David LaChapelle, Richard Burbridge, Paolo Roversi, John Galliano en Karl Lagerfeld. Bedankt.

Mijn dank gaat ook uit naar de vele geweldige stylisten, visagisten en haarstylisten met wie ik heb mogen samenwerken. Ik ben met name Swarovski dankbaar voor hun niet-aflatende loyaliteit aan WEK1933 en de goede doelen die we ondersteunen.

Ik bedank tevens Pirelli, Motorola Red, Barneys, Gap, Bloomingdale's, Macy's, Sephora, Saks Fifth Avenue en Ann Taylor.

Oprah Winfrey ben ik zeer dankbaar voor haar oprechte steunbetuiging bij onze eerste ontmoeting. Haar positieve kracht zal me altijd bijblijven. Anna Wintour en haar team bij *Vogue* hebben veel voor me betekend in mijn carrière. Ik ben jullie zeer dankbaar voor wat jullie voor me hebben gedaan.

Franca Sozzani en haar team bij de Italiaanse *Vogue* hebben vanaf het eerste moment achter me gestaan en zijn er altijd voor me geweest. Bedankt voor alles.

Verder bedank ik iedereen die me met WEK1933 heeft geholpen.

Dankzij de United States Committee for Refugees and Immigrants kreeg ik een podium om aandacht te vragen voor de schrijnende situatie van Soedanese en andere vluchtelingen. Het was voor mij een grote eer.

Het USCRI heeft me bovendien geïntroduceerd bij de fantastische, gedreven mensen van Artsen zonder Grenzen.

Ricardo Sala, jij hebt me op alle mogelijke manieren geïnspireerd. Daar ben ik je heel erg dankbaar voor. Ik bedank ook al mijn vrienden voor hun emotionele steun.

En uiteraard ben ik mijn fans dankbaar. Zij hebben dit allemaal mogelijk gemaakt. Jullie hebben me meer gegeven dan ik ooit voor mogelijk had gehouden.

Mijn literair agente, Lisa Queen, en de schrijver Stephen P. Williams ben ik zeer erkentelijk voor hun hulp bij het publiceren van dit boek.